Brought to you by
an LSTA Grant with
support from
The Denver Public Library

Indicate # of checkouts below:

Jan - Mar	
 Apr - Jun	
220 Jul - Sept	AUG 2 4 2004 NOV 2 2004
Oct - Dec	

SUMARIO

ÍNDICE DE TABLAS

1

De hijo único
a hermano mayor

La llegada de un nuevo miembro a la familia ha sido recibida por todos vosotros con una inmensa alegría. Por todos menos por vuestro hijo mayor, que a partir de ahora va a tener que compartir con el "pequeño intruso" no sólo sus juguetes y pertenencias, que para él son un auténtico tesoro, sino también a las personas a las que más quiere: a vosotros.

Sin duda, dejar de ser hijo único va a suponerle la renuncia a muchos privilegios que desde siempre han sido exclusivos para él (hasta más adelante no se dará cuenta de que su hermanito puede ser su mejor compañero de juegos, su confidente y su cómplice), y habituarse a ello le resultará muy duro. Por eso, según los psicólogos infantiles y pedagogos, los celos son una reacción totalmente normal en el niño hasta los 6 ó 7 años. A partir de esta edad, si los padres han sabido cómo atajar el problema y el pequeño ha ido madurando adecuadamente y ganando seguridad y confianza en sí mismo y en los demás, los celos deben empezar a desaparecer.

Sin embargo, también es normal que este incómodo sentimiento lleve a vuestro "príncipe destronado" a adoptar comportamientos menos dóciles y complacientes que los que venía adoptando hasta ahora, complicando aún más vuestra nueva situación familiar. Paradójicamente, su actitud celosa hace más difícil que os mostréis cariñosos y atentos con él, cuando en realidad esto es lo que el pequeño va persiguiendo.

Circunstancias que agudizan los celos

En la mayoría de las ocasiones, la llegada del bebé va acompañada de otras circunstancias que acentúan los celos del primogénito.

Es fácil que los padres, llevados por el **entusiasmo** y por el **desconcierto** que los cuidados del recién nacido suponen, dediquen todo su tiempo al bebé. Intentad evitarlo organizándoos mejor y haciendo turnos para atender a los dos pequeños. No desechéis la ayuda de vuestros familiares e incluso plantearos la posibilidad de contratar a alguien para que os organice las tareas del hogar y limpie la casa. Esto os dará la oportunidad de disponer de más tiempo libre para vuestros hijos y evitará que el mayor se sienta abandonado.

También puede que los propios padres y otros familiares le comparen con el hermanito. Los niños celosos suelen tener muy baja autoestima y esto hace que las **comparaciones** sean especialmente nocivas para ellos, tanto si salen bien parados de ellas como si salen perjudicados. En el primer caso, el niño celoso se siente culpable por ser mejor que el hermanito, que le da pena, y en el segundo, pierde confianza y seguridad en sí mismo, lo que no le favorece en absoluto. Teniendo esto en cuenta, ya veis que lo mejor es no comparar a vuestros hijos. Cada uno es como es y debéis quererlos tal y como son, valorando lo positivo de cada uno y tratando de quitar importancia y de corregir los aspectos menos deseables de cada cual. De esta forma, en lugar de fomentar la rivalidad entre ellos, les enseñáis a quererse a sí mismos y fomentáis el compañerismo y la camaradería entre ellos.

A veces ocurre que la **relación** que el hijo mayor establece con el bebé **no** es la **adecuada**. En este caso, tratar de mejorarla es una labor exclusiva de los padres. Intentad explicar a vuestro primogénito que el bebé es tan pequeñito que necesita la ayuda y el apoyo de todos para poder crecer, incluso también toda la que él pueda prestarle. Ver cómo sus atenciones hacen que el pequeño se ría, coma cada día un poquito más o se quede dormido, le enseñará a disfrutar más de él.

EVITAR LOS CELOS ES POSIBLE

1. Si vuestro hijo mayor siente que ya no le dedicáis la misma atención que antes, **procurad organizaros** y no desechéis la ayuda de familiares y profesionales: vosotros lo agradeceréis y vuestro hijo también.

2. Es normal que, sin daros cuenta, comparéis al mayor con el recién nacido; tanto si dicha comparación le

•••

11

favorece como si no, tened en cuenta que le perjudica. **Aceptar la individualidad** de cada uno es el mejor modo de prevenir la rivalidad.

3. Debéis explicar al primogénito que el bebé no puede valerse por sí mismo y que necesita la ayuda de todos, incluida la del mayor, para poder crecer. **Sentirse útil y colaborar** le harán olvidar los celos.

¿Cómo hacer frente a sus celos?

En cualquier caso, la llegada del bebé afectará a vuestro primogénito en mayor o menor medida dependiendo de la fase del desarrollo en la que se encuentre, de su carácter y de la actitud que adoptéis con él.

Si tiene menos de 2 años

Al ser tan pequeño, a vuestro primer hijo no le afectará demasiado la llegada del hermanito. Es cierto que al veros coger a otro bebé se quedará observándoos expectante, pero aún no tiene una noción clara de sí mismo ni es lo suficientemente maduro como para experimentar un sentimiento de pérdida o de abandono al veros con el pequeño, por lo que no tardará en acostumbrarse a él. En cuanto el recién llegado crezca un poco, lo convertirá en su mejor compañero de juegos.

Vosotros sois, sin embargo, los que tendréis que hacer un esfuerzo heroico para atender a la vez a dos bebés de edades tan similares. Intentad no perder la calma, sobre todo cuando el pequeño empiece a ser más autónomo y las peleas entre los dos sean habituales. Y consolaos pensando que el haber tenido dos hijos tan seguidos os evita el tener que pasar dos veces por el período de los biberones, los pañales y los brazos, tal y como les ocurre a los padres que espacian más los nacimientos de sus hijos. De momento, para evitar que vuestro primogénito tenga celos del bebé, seguid estas pautas:

1. Mientras la madre amamanta al pequeño, el padre puede **jugar con el hijo mayor**. Y si el bebé toma biberón, podéis hacer turnos para dárselo, lo que también os permitirá alternaros para entretener, dormir o alimentar al primogénito.

2. Una vez que el benjamín cumpla unos meses, tal vez sea buena idea **bañarlos a los dos juntos**. Tomando las medidas de seguridad oportunas (jamás los dejéis solos en la bañera, aunque haya sólo una cuarta parte de agua), vosotros ahorraréis tiempo y ellos se sentirán perfectamente bien atendidos. Además, se lo pasarán muy bien.

3. Quizá sea bueno que una vez que el pequeño deje de tomar el pecho, **compartan la habitación**. Así lo tendréis todo a mano (los productos de aseo, los juguetes, los cuentos...) y si uno llora por la noche, al acudir a consolarle mataréis dos pájaros de un tiro, porque el otro, al percatarse de vuestra presencia, volverá a quedarse dormido enseguida.

Si tiene 2 ó 3 años

Según las estadísticas, ésta es la edad más frecuente que suele tener el primogénito cuando deja de ser hijo único y es más conflictiva que la anterior. A esta edad, el niño ya tiene el conocimiento y la madurez suficientes para darse cuenta del lugar que ocupa en la familia y sentirlo amenazado, aunque sea de forma inconsciente con la aparición del "pequeño intruso". Además, ya se conoce mejor a sí mismo y se ha dado cuenta de que no forma parte de su madre, lo que en cierto modo le lleva a sentirla más lejos. Al mismo tiempo, vosotros, sin daros cuenta, también habéis cambiado vuestra manera de tratarle y al ser el mayor, le exigís más (quizás más de lo que deberíais, si tenemos en cuenta su edad): ya no le cogéis tan a menudo, no acudís a consolarle inmediatamente en cuanto le oís llorar, le hacéis menos caso, tratáis de imponerle límites y prohibiciones... Por si fuera poco, a esto se une que el pequeño ha empezado a descubrir su personalidad, su propio "yo", y cree que para afianzarse debe oponerse, por sistema, a todo lo que le mandáis. Esto le produce dos sentimientos contrapuestos: por un lado, le hace sentirse muy fuerte y poderoso, pero por otro, incrementa su temor a que le abandonéis por "ser tan malo y rebelde", un miedo ahora acentuado por la llegada del hermanito. Ante tal maremágnum de sentimientos contradictorios, es normal que vuestro hijo empiece a adoptar un comportamiento menos dócil que el que venía adoptando hasta ahora.

Intentará llamar vuestra atención constantemente: llorará por todo, os desobedecerá una y otra vez, os interrumpirá cuando tengáis visita y muy especialmente mientras estéis atendiendo al bebé...

No os extrañéis si se niega a ir a la guardería (dejar que su madre se quede a solas con el pequeño es algo muy doloroso para él) y luego, cuando vais a recogerle, se muestra enfadado y distante con vosotros. Es su modo de deciros que os sigue necesitando y que os ha echado mucho de menos.

Es posible que tenga alguna regresión en su desarrollo (es decir, que vuelva a adoptar conductas de cuando era más pequeño, que ya tenía superadas), como reclamar el biberón para comer o el chupete para dormir, mojar la cama, hablar peor de lo que sabe hacerlo, negarse a dormir él solo en su habitación... Hasta es fácil que algún día le sorprendáis comiéndose las papillas o intentando ponerse alguna prenda del pequeño. Lo hace para expresar sus deseos de que le tratéis igual que al hermanito.

Quizá se muestre agresivo con el pequeño: le pellizcará, le apretará la nariz, le sacará la lengua, le hará burla y tratará de romper y esconder sus cosas. Tened mucho cuidado porque lo hará a escondidas, en cuanto os descuidéis un instante.

Para no perder los nervios con él, pensad que sus reacciones no son más que manifestaciones de rabia, muy positivas para su madurez emocional, y que poco a poco le van a ir ayudando a superar sus celos. Aun así, para que la situación le resulte más llevadera y vuestra convivencia familiar sea más agradable para todos:

1. Intentad **dedicarle** todos los días **un tiempo en exclusiva**, sin que os interrumpa el bebé, y llamadle "nuestro momento". Así, por ejemplo, mientras el hermanito esté durmiendo la siesta, poneos a dibujar con él, ayudadle a montar una torre o una casita con sus bloques de construcción... Esto le dará a entender que continuáis queriéndole igual que antes.

2. Procurad **mantener los mismos rituales** que antes del nacimiento del pequeño. Si antes de acostarle le bañábais, le dabais la cena tranquilamente y le leíais un par de cuentos, seguid haciéndolo ahora también. Con la llegada del bebé, la vida de vuestro hijo mayor ha sufrido una transformación enorme y para que no cambie más, debéis intentar mantener ciertas costumbres. Con las rutinas de siempre evitaréis que se sienta perdido y desconcertado y le ayudaréis a sentirse más seguro.

3. Para que no crea que el pequeño le ha desplazado, **convertíos en sus cómplices** y hacedle ver que entendéis cómo se siente. Por ejemplo, si justo en el momento en que os disponéis a montar con él su tren de madera, el bebé empieza a llorar, decidle algo así como: "*Es un llorón, ¿verdad? Pero no te preocupes. En cuanto se calme, seguiremos jugando*". Así, vuestro hijo sentirá que le comprendéis y le resultará más fácil aceptar su nueva situación familiar.

4. Si alguna vez le sorprendéis intentando agredir al bebé, decidle muy seriamente que no debe volver a repetirlo, pero **evitad criticarle** o enfadaros con él. Para no crearle sentimientos de culpa, en vez de decirle que es malo, pedidle que acaricie la cabecita del bebé y que le dé un beso. Así le demostraréis que vuestro amor por él es incondicional, a pesar de que haga cosas que no os gustan, y le daréis la oportunidad de corregir su acción.

5. No deis importancia a sus regresiones. Si vuelve a pediros el chupete, dádselo, y si se niega a beber la leche en taza, volved a prepararle el biberón. Y no tratéis de explicarle que ya es mayor para adoptar estos hábitos. Esto incrementaría sus celos. Tened un poco de paciencia con él. En unos días, en cuanto se convenza de que seguís queriéndole y se sienta más seguro, dejará de adoptar estas conductas, pues él mismo comprobará que ya no le satisfacen ni le calman como hace un tiempo.

6. No le exijáis demasiado. Haberse convertido en "el mayor" no significa que se haya hecho mayor de repente. Aún es un niño muy pequeño y sigue necesitando que le echéis una mano en casi todo lo que se propone.

7. Si ya va a la guardería, es importante que vayáis a buscarle y a recogerle vosotros (tal vez podáis turnaros). Esto le dará seguridad. Como ya hemos dicho, para él, irse de casa sabiendo que su madre se queda a solas con el pequeño es muy doloroso y hasta que logre asimilarlo agudizará su sensación de que os habéis cansado de él y habéis decidido cambiarlo por el pequeño.

Si tiene 3 ó 4 años

A esta edad, a vuestro primogénito le costará un poco menos aceptar al bebé. Ya es más autónomo e independiente y aunque lo haga de forma inconsciente, colocará al hermanito en un plano distinto al suyo, por lo que no lo considerará como su rival. Aunque se sienta un poco celoso y le cueste compartir con él vuestros cuidados y atenciones, con un poco de ayuda y apoyo por vuestra parte, podrá superar sus celos en poco tiempo. Además, como ya será una personita social y tendrá su propio círculo de amistades, sentirá al bebé como un amiguito más, con el que podrá empezar a jugar en breve.

Puesto que está en la edad de los por qué y tiene una infinita curiosidad por todo, os preguntará muchas cosas sobre el hermanito. Querrá saber por qué es tan pequeño, por qué no sabe jugar, por qué llora tanto...

Cuando el bebé crezca un poco y empiece a cogerle sus cosas, se enfadará mucho con él, le insultará e incluso querrá pegarle. Y por supuesto, por sistema se negará a compartir con él y mucho menos a prestarle cualquier juguete u objeto que a él le interese, pues es "el mayor".

Dadle un voto de confianza. Ya es lo bastante mayor para entender que el hermanito requiere mucha dedicación y no tardará en empezar a quererle mucho. De todos modos, para ponérselo más fácil:

1. **Contestadle a todo lo que quiera saber** sobre su hermanito y explicadle que aunque el recién nacido os exige dedicarle mucho tiempo, no habéis dejado de quererle. Precisamente por eso estáis deseando terminar de darle de comer, bañarle y dormirle, para poder jugar con él.

2. Explicadle que cuando él nació, os comportábais con él de la misma manera que hacéis ahora con el bebé. Seguro que le encantará ver sus fotos de cuando era pequeño. Esto le ayudará a sentirse más cerca tanto de vosotros como de su hermanito.

3. **Procurad involucrarle en los cuidados del pequeño.** Pedidle que os acerque su ropa cuando le

estéis cambiando, que le limpie la boquita con el babero mientras le dais el biberón, que coja el teléfono si le estáis durmiendo y no podéis atenderlo vosotros... Al dejarle participar en lo que ahora os mantiene tan ocupados, se sentirá menos excluido y no tendrá tantos celos.

4. Cuando el bebé le coja o le rompa sus juguetes, **poneos siempre de su parte** y procurad consolarle diciéndole frases similares a ésta: *"Siento que otra vez te haya destruido el castillo. A veces se pone pesadísimo, ¿verdad?"*. De todos modos, para prevenir disgustos, lo mejor es que reservéis para él un rincón en su cuarto o en el salón al que el bebé no pueda acceder, para guardar allí sus juguetes favoritos. Por supuesto, sólo podrá utilizarlos cuando el pequeño se quede dormido. Otra buena idea es sugerirle que regale al hermanito los juguetes que ya no le gustan. Esto le hará sentirse mayor e importante y favorecerá su relación con él. Y si comparten la habitación, cread ambientes separados en ella (un simple biombo bastará). Así quedarán perfectamente delimitadas las zonas privadas de cada uno.

Si tiene 5 años o más

A los 5 años, y más aún pasada esta edad, los niños suelen tener menos dificultades para aceptar al nuevo miembro de la familia (salvo que estén muy mimados y consentidos). Es más, casi lo viven bien, como si sus padres les hubiesen hecho un regalo. Por eso a la mayoría les gusta colaborar en los cuidados y atenciones del recién nacido, avisan a sus padres si le oyen llorar, cuentan a sus amigos del cole lo guapo que es su nuevo hermanito...

Al contrario que hace un tiempo, en que era contraproducente decir al primogénito que ya era mayor y que debía comportarse como tal, ahora no es perjudicial para él que le deis este argumento. A esta edad vuestro hijo ya siente afianzado su lugar en la familia, tiene más seguridad en sí mismo y además, al ampliar su círculo social (ya lleva un tiempo en el colegio y se siente bien allí), ha dejado de ser tan dependiente de vosotros, lo que disminuye el riesgo de que se sienta celoso del bebé. Aun así, para reducir al máximo esta posibilidad:

1. **Fomentad su relación con otros niños,** ya sean sus compañeros del colegio, sus primos o los amiguitos del parque. Así no le afectarán ni le disgustarán tanto las travesuras y trastadas del hermanito.

2. **Otorgadle ciertos privilegios** por ser el mayor. Por ejemplo, acostadle más tarde y jugad con él a algún juego de mesa (¡son de mayores!) cuando acostéis al bebé. También podéis dedicar una tarde a la semana a ir al cine sólo con él. Esto será para él una auténtica fiesta, que le hará sentirse realmente querido por vosotros.

3. Convertidle en vuestro aliado y dejad que de vez en cuando se encargue de cuidar al hermanito. Ver que contáis con su colaboración será un orgullo para él. Por ejemplo, dejad que le meza en la cuna (nunca de pie), que le dé la manita hasta que se quede dormido, que le meta los juguetes en la bañera mientras vosotros le bañáis, que le ponga el babero o incluso que le dé el biberón (si no es de cristal). Pero eso sí, siempre debéis estar delante uno de los dos y si alguna vez os pide realizar algo que no considerais oportuno, quitadle la idea de la cabeza de la manera más "diplomática" que podáis y sugeridle otra opción. Así evitaréis posibles sustos y que se sienta rechazado.

4. Dentro de unos meses, en cuanto el bebé sea algo más mayorcito, enseñad a vuestro primogénito a jugar con él. Por ejemplo, incitadle a hacer muecas delante del pequeño, para que éste se ría, animadle a gatear con él... Comprobar que su hermanito puede convertirse en un compañero de juegos muy especial le ayudará a aceptarlo con menos trabas.

¿CÓMO ACTUAR ANTE LOS CELOS?

Si tiene menos de 2 años
• Papá puede dedicarse a jugar con él mientras mamá le da el pecho.

•••

- Podéis probar a bañarlos juntos.
- Puede que les beneficie compartir la habitación cuando llegue el momento adecuado.
- Dedicad cada día un rato a jugar con el primogénito.
- Intentad que sus hábitos no se vean alterados por la llegada del pequeño.
- Dadle siempre muestras de que le entendéis, convertíos en sus cómplices.
- Evitad enfadaros con él si veis que su relación con el bebé no es la adecuada.
- No os preocupéis si os vuelve a pedir el chupete: aceptad las conductas regresivas con naturalidad.
- No olvidéis que, pese a ser el mayor, necesita de vuestra ayuda para conseguir lo que se propone.
- Intentad ser vosotros quienes le acompañéis a la guardería y le vayáis a recoger.

Si tiene 3 ó 4 años
- Contestad a sus preguntas y explicadle que, pese a estar más atareados, seguís queriéndole como el primer día.
- Recuperad el álbum familiar y mostradle fotos de cuando era pequeño.
- Pedidle que os ayude con el pequeño, eso sí, teniendo presente que aún es pequeño para según qué tareas.
- Poneos de su parte cuando su hermanito le rompa sus juguetes.

•••

Si tiene 5 años o más

- Procurad que se relacione con otros niños de su edad.
- Concededle ciertos privilegios por ser el mayor.
- Dejad, sin obligarle, que os ayude a atender al bebé.
- Animadle a jugar con su hermanito.

Errores que no debéis cometer

Ante el comportamiento difícil de su primogénito, muchos padres se desconciertan e incurren en errores que, en lugar de paliar los celos, los perpetúan. Evitad cometedlos vosotros:

Jamás le regañéis ni le ridiculicéis por tener "pelusa". Los celos son una llamada de atención que os hace vuestro hijo y si en lugar de acudir a ella, os reís de él por necesitarla, sentirá que no le comprendéis y lo pasará muy mal. En lugar de burlaros de él, intentad traducir en palabras sus sentimientos. De esta forma le será más fácil reconocerlos y podrá controlarlos mejor. Por ejemplo, si el bebé le ha arrugado uno de sus dibujos favoritos, decidle algo como:

"¡Qué rabia! Entiendo que estés disgustado, pero el bebé no sabe lo que hace y no debes tomárselo en cuenta. ¿Por qué no haces otro dibujo y lo guardamos lejos de su alcance? Seguro que esta vez te sale aún mejor y el hermanito no te lo coge".

A pesar de su insistencia, **no dejéis que** vuestro hijo mayor **duerma con vosotros**. Es mejor que, una vez que el bebé se quede dormido, le dediquéis un tiempo exclusivo para hacer con él lo que más le gusta, pero cuando llegue su hora de dormir, llevadle a su cuarto. Si os lo pide, quedaos con él un ratito, dándole la mano o acariciándole la cabeza, pero procurad marcharos antes de que se duerma. Así aprenderá a dormirse él solo y si se despierta por la noche, no reclamará vuestra presencia para volver a dormirse.

No le consintáis que hable mal del bebé, pero si lo hace, **no os enfadéis con él**. Si ve que sus palabras os afectan mucho, puede convertir esta reacción impulsiva, que no tiene importancia, en una costumbre rutinaria para llamar vuestra atención. Decidle, por supuesto, que no os gusta que diga esas cosas, pero si continúa diciéndolas, haceos los sordos. No hay mejor solución para conseguir que un niño deje de adoptar un comportamiento inadecuado que permanecer inmutables ante él.

No le permitáis adoptar un comportamiento imposible. Si le dejáis enrabietarse, llorar, romper las cosas del bebé, dormir con vosotros o faltar al colegio los días que se levante "con el pie izquierdo", no le devolveréis su puesto de "rey de la casa", pero sin daros cuenta le nombraréis "tirano de la casa". Además, hasta que os habituéis al cambio que ha dado vuestra vida con el nuevo bebé y funcionéis con la misma soltura con que lo hacíais antes de su llegada, necesitáis orden y tranquilidad y para ello es preciso que todos los miembros de la familia mantengáis unas reglas comunes y cierta disciplina.

No le miméis en exceso ni le deis todos los caprichos. Que le concedáis ciertos privilegios por ser el mayor no significa que le convirtáis en un niño mimado, hiperdependiente de vosotros.

¿CÓMO NO DEBEMOS ACTUAR ANTE LOS CELOS?

- No os enfadéis con él por mostrarse celoso.
- No dejéis que duerma en vuestra cama.
- No le regañéis si habla mal del bebé: lo utilizaría para llamar vuestra atención.
- No consintáis que imponga siempre su voluntad.
- No le convirtáis en un niño mimado, pues no toleraría que dedicáseis atención a su hermano.

Aunque a veces os resulte duro mantener una lucha constante con vuestro hijo mayor, pensad que si dejáis que se salga siempre con la suya, perpetuaréis sus manifestaciones celosas y le haréis aún más difícil la aceptación de su nueva situación familiar. Por el contrario, si ponéis límites a su comportamiento y le dais indicaciones sobre cómo debe actuar, el pequeño se sentirá más seguro, se convencerá de que os importa y, al verse orientado, le será más fácil aceptar su nuevo papel en la familia.

2

¿Qué síntomas indican la presencia de los celos?

Tal y como estáis comprobando, la llegada del bebé, además de los cambios que supone en vuestra forma de vida, también conlleva alteraciones en el comportamiento habitual de vuestro hijo mayor. Pero no os extrañéis, porque es algo completamente normal, que ocurre en todas las familias. Así, ante la llegada del bebé, el primogénito, que hasta ahora había adoptado comportamientos totalmente normales y aceptables, empieza a mostrar trastornos de conducta. Manteneos alerta ante ellos. Son la señal más evidente de que vuestro hijo mayor necesita vuestra ayuda, pues el cambio radical que ha dado su vida le produce desconcierto y malestar.

¿Cómo sabremos si está celoso?

Las alteraciones más habituales a cualquier edad y que probablemente observéis en vuestro hijo son: una mayor rebeldía y oposición ante todo lo que le mandéis. Es un modo de llamar vuestra atención; una actitud más exigente y mucho menos paciente con todos los demás. Se debe a que está nervioso, pues no se siente seguro en casa, con vosotros; dificultades para conciliar el sueño: insomnio, pesadillas, sueño intermitente... Se producen porque cuando se queda solo y a oscuras en su cuarto, su miedo a perderos por la llegada del hermanito invade su mente; también es fácil que le notéis más triste y melancólico, es natural. ¿Cómo va a sentirse contento si cree que os está perdiendo?

Es posible que se muestre **inapetente** y que utilice la comida para chantajearos. Así, si ve que os preocupa que no termine su ración, seguirá negándose a comer, para que estéis más pendientes de él. Por eso, en caso de que vuestro hijo mayor rechace la comida, lo mejor que podéis hacer es retirarle el plato sin más, como si no os importara que no comiera. De este modo, al ver que su artimaña no funciona, dejará de utilizarla.

Puede que le **cueste más ir a la guardería** o al colegio. El simple hecho de pensar que su madre se queda a solas con el bebé le pone enfermo. Por supuesto, aunque le cueste un auténtico triunfo madrugar para cumplir con su tarea de escolar, jamás debéis permitirle que se quede en casa.

También puede manifestar **conductas inadaptadas en el centro escolar** (peleas con otros niños, aislamiento...) y mantener un escaso nivel de progresos en su aprendizaje.

Es normal que deje de tener interés por los demás niños y **sólo quiera estar con vosotros**. Esto se debe a su miedo inconsciente a que le abandonéis. Por eso, la única compañía que le interesa es la vuestra.

Se pone nervioso si pasa varias horas sin veros. A medida que se prolonga vuestra ausencia se va convenciendo más y más de que os habéis olvidado de él y cree que no vais a volver a buscarle.

Puede que **hable peor de lo que sabe** hacerlo, no porque tenga dificultades físicas para expresarse, sino porque piensa que así, hablando como el bebé, vais a hacerle más caso.

Si se muestra **más irritable y menos cariñoso** con vosotros no es precisamente porque os necesite u os quiera menos que antes, sino todo lo contrario. Os necesita tanto que, al ver que dedicáis tanto tiempo al bebé y le dais tanto amor, se siente traicionado por vosotros y quiere hacéroslo pagar de alguna manera: contestándoos mal, negándose a daros besos...

Puede sufrir **regresiones** en su desarrollo y volver a adoptar conductas propias de cuando era más pequeño, que ya tenía superadas, tales como mojar la cama, reclamar el biberón, querer que le mezan en los brazos... En estos casos, lo mejor es que no deis importancia a estos pequeños retrocesos en su desarrollo, que en realidad no son tales. En cuanto el niño acepte su nueva situación familiar, empezará a adoptar de nuevo los comportamientos adecuados a su edad y abandonará estos otros, propios de estadios inferiores, que en realidad ya no le satisfacen. Si vuestro hijo vuelve a pediros el chupete o insiste en que le mezáis antes de dormir, hacedlo. Se trata sólo de una etapa transitoria en la que el niño necesita que le devolváis la seguridad que ha perdido y tratarle tal y como él reclama es una buena manera de ayudarle a mejorar su autoestima y de demostrarle que le seguís queriendo.

Manifestaciones menos frecuentes

Hay otros síntomas menos habituales que puede adoptar el primogénito que también es conveniente que conozcáis. Y no porque vuestro hijo vaya a adoptarlos (no es muy probable), sino porque son un indicativo evidente de que está sufriendo mucho y necesita vuestra ayuda para dejar de pasarlo tan sumamente mal.

No acepta las muestras de cariño y los elogios de los demás. Reacciona así porque constantemente se compara con su hermanito y siempre sale mal parado de sus propias comparaciones. Su manera de pensar es la siguiente:

"Si mis padres hacen tanto caso al hermanito y me dedican menos tiempo a mí, y ellos siempre tienen razón, será porque él es mejor que yo y yo no me merezco nada".

Ignora al bebé por completo. Lo hace en un intento desesperado de volver a la situación anterior al nacimiento del pequeño. Su "pensamiento mágico" le lleva a creer que si hace como si el pequeño no existiera, las cosas van a volver a ser como antes.

Manifiesta un desmesurado **afán de proteger al pequeño**, de cuidarle y de darle todo lo que tiene. Es una reacción típica de los niños muy responsables, generalmente mayores de 4 años que además tienen poca aceptación de sí mismos. Tanto es así, que no se creen dignos de nada. Por eso pasan a ocuparse más del hermanito que de sí mismos e incluso llegan a rechazar los regalos que les hacen y si los cogen, se los dan al bebé, ya que le consideran más merecedor de ellos.

Adopta conductas agresivas. El pequeño puede demostrar su agresividad de muy diferentes maneras: pegando o insultando al hermanito, rompiendo sus juguetes y escondiendo sus ropitas, tirando su comida, intentando separarle de sus padres... En casos extremos puede llegar a pedir a sus padres, hecho un mar de lágrimas, que devuelvan al pequeño al hospital, o incluso puede desearle la muerte. Pasado el ataque de celos, como este deseo le hace sentirse muy culpable, de repente empieza a demostrar un desmesurado cariño hacia el pequeño, no porque en realidad sienta que le quiere, sino para intentar liberarse de la culpa que le atormenta. Otra manera de demostrar la agresividad, que resulta muy nociva para el pequeño celoso, es agredirse a sí mismo, ya sea a nivel físico (arañándose las manos, dándose cabezazos contra la almohada...) o emocional (aislándose, diciendo que no quiere nada para él, perdiendo la ilusión por sí mismo...).

Aparentemente **no demuestra nada.** Ha tenido un hermanito y continúa comportándose exactamente igual, como si el bebé hubiera estado en casa toda la vida. ¡Mucho cuidado con esta actitud! Los niños que no comentan ni demuestran nada ante su nueva situación, que inevitablemente les afecta, son los más propensos a la depresión.

En estos últimos casos conviene pedir ayuda a un profesional. El psicólogo de la guardería o del colegio al que acuda el niño, o cualquier psicólogo infantil o pedagogo de un gabinete especializado, podrá ayudarle a aceptar su nuevo lugar en la familia y a independizarse de sus padres de una manera menos dolorosa. Gracias a él, evitará que sus celos se perpetúen, algo que, de ocurrir así, le haría sufrir mucho en su vida.

¿CÓMO SE MANIFIESTAN LOS CELOS?

Manifestaciones más frecuentes
- Se opone a cuanto le mandáis: intenta llamar vuestra atención.
- No tiene paciencia: no se siente seguro.
- No logra conciliar el sueño.
- Está triste.
- No tiene hambre.
- Le cuesta ir al cole y no se integra en el grupo.
- Quiere acaparar todo vuestro tiempo y no soporta estar mucho rato sin veros.
- Muestra comportamientos regresivos: habla peor de lo que sabe, reclama el biberón...
- Se muestra menos cariñoso que antes: es un modo de castigaros.

Manifestaciones menos frecuentes
- No acepta elogios de nadie.

•••

- No hace caso al bebé.
- Concentra toda su atención en cuidar y proteger a su hermanito.
- Se muestra agresivo.
- Actúa como si nada hubiera pasado, como si el bebé no existiera.

¿Cómo se van instaurando los celos?

Cuando el primogénito comienza a sentir celos, suele manifestarlos de una manera bastante enrevesada, lo que hace que muchas veces pasen inadvertidos para sus padres. Éstos se dan cuenta de que a su hijo le ocurre algo, pero como no saben qué, tampoco saben cómo deben actuar para ayudarle.

Generalmente el sentimiento de celos pasa por varias fases. En la primera, los celos son esporádicos y el niño suele expresarlos mediante manifestaciones físicas, tales como vómitos, **enuresis** (no poder controlar el pis por la noche), rabietas... Si los padres se percatan de ellos y se ponen manos a la obra para ayudar a su hijo, es fácil que el niño los supere rápidamente, sin demasiadas dificultades.

Cuando los celos, en lugar de desaparecer, se agudizan, pasan a la llamada segunda fase. Junto a las manifestaciones físicas anteriores, el primogénito empieza a sentir **envidia** del bebé, le molesta que le hagan regalos, pide a sus padres que le devuelvan al hospital, no puede aguantar sus lloros... Sin embargo, como sus propios sentimientos de odio hacia el pequeño le hacen sentirse muy culpable, de vez en cuando también demuestra un **afecto excesivo** por él, lo que desorienta enormemente a sus padres.

Si los celos continúan agudizándose, llega un momento en que el niño no puede más, necesita "estallar" de alguna manera, y es entonces cuando empieza a manifestar **trastornos psíquicos** (hasta ahora eran físicos y emocionales), tales como ansiedad, depresión, nerviosismo, dificultades para recordar y concentrarse, irritabilidad, etc. Al mismo tiempo, también es fácil que comience a tener problemas en la guardería o en el colegio, que se niegue a acudir al centro escolar, que no progrese en su aprendizaje, que se pegue con sus compañeros, que no haga caso a su maestra...

En la inmensa mayoría de los casos, los niños superan sus celos en más o menos tiempo, sin que les produzcan ningún tipo de trauma. Ahora bien, para que esto efectivamente suceda así, es importante que los padres no dejen pasar la etapa celosa sin más. Para que su hijo pueda asimilar y entender bien sus relaciones con los que le rodean, resulta fundamental que hablen con él y le expliquen que querer a alguien no significa poseerlo en exclusiva. Que el pequeño entienda esto es básico para que en el futuro pueda entablar relaciones íntimas, estables y duraderas con los demás.

¿Qué tipo de niños tiene mayor propensión a padecerlos?

Las manifestaciones de celos suelen producirse con mayor frecuencia cuando el primogénito tiene entre 2 y 4 años. Esto se debe a que en esta etapa del crecimiento, el niño está descubriendo que puede ser una persona autónoma, independiente de sus padres, algo que al tiempo que le da mucha alegría, también le produce una incomodísima sensación de inseguridad, que se acentúa al sentir que sus padres disponen de menos tiempo para atenderle y que le exigen más, pues ha pasado de ser "el peque" de la casa, a convertirse en "el mayor".

¿QUÉ RASGOS AGUDIZAN LOS CELOS?

- **Inteligencia.** Los pequeños, al ser tan espabilados, se dan perfecta cuenta de lo que ocurre. Y lo cierto es que sus padres les dedican menos tiempo y atención.
- **Hipersensibilidad.** Son niños muy vulnerables a las circunstancias que les rodean y el hecho de haber tenido un hermanito es un cambio especialmente fuerte para ellos.
- **Inseguridad.** En lugar de mostrarse confiados y amistosos con los demás, los consideran rivales que pretenden robarles lo que es suyo.

• • •

- **Susceptibilidad.** Se achacan todo lo malo, tienen muy baja autoestima y no saben apreciar ni valorar sus cualidades positivas.
- **Miedo.** Les asusta compartir sus sentimeintos con los demás, lo que acentúa su malestar.
- **Complejos.** Suelen tener complejo de inferioridad, de feos, de malos, de no saber hacer nada...

Tengan el carácter que tengan, todos los niños que viven la llegada del hermanito de una manera especialmente dolorosa se equivocan al valorar la actitud afectiva de sus padres, pero es que aún no tienen la suficiente madurez como para poder analizar objetivamente la realidad (*"ante la llegada del bebé, mis padres tienen que repartir su tiempo, que antes era exclusivo para mí"*), sin dejarse llevar por su estado emocional (*"mis padres ya no quieren jugar ni estar conmigo"*).

Sus dibujos nos dicen mucho sobre él

La mayoría de las veces los celos de los niños son evidentes, pero precisamente en los casos en los que los niños lo están pasando peor, no lo son tanto. Un método muy eficaz que pueden emplear los padres para descubrir si su primogénito ha aceptado bien al bebé o no es pedirle que dibuje a su familia. Si queréis, sugerídselo a vuestro hijo, como si se tratara de un juego. Mercedes Matons, psicoterapeuta y grafóloga infantil, describe las pautas elementales para que averigüéis cómo ve vuestro hijo a vuestra familia a través de sus dibujos. Una de las pruebas que más utilizan los psicólogos infantiles para averiguar si un niño tiene problemas de integración en casa es el llamado **Test de la Familia**. Para realizar esta prueba se da al niño los utensilios necesarios (lápices o ceras de colores, folios en blanco...) y se le pide, como si fuera un juego, que dibuje una familia. Si pregunta cuál, se le dice que la que él quiera. Mientras dibuja, se va tomando nota del orden en que va dibujando a cada uno de los personajes, lo que el niño va comentando de ellos y si los va colocando de izquierda a derecha (es lo normal en los diestros) o de derecha a izquierda (salvo en los zurdos, indica una regresión). Una vez que acaba el dibujo, después de felicitarle por lo bien que lo ha hecho, se le pide que explique quién es cada persona. Así se puede tener una idea del juicio de realidad que tiene el pequeño, independientemente de su edad. También se le pregunta dónde están esas personas que ha dibujado, a qué se dedican, si son buenas o malas, si él cree que están contentas o tristes, si se iría con ellos de viaje o no, si le gusta jugar con ellos... Estas preguntas son las claves para saber cuál es su progenitor favorito, en qué lugar se sitúa él en la familia, cómo se siente con sus hermanos, si tiene celos de ellos, etc.

¿QUÉ PODEMOS APRENDER DE SUS DIBUJOS?

Su familiar favorito es...

- Aquél a quien dibuja primero.
- Suele ocupar el primer puesto en el lado izquierdo del folio, salvo en los zurdos.
- Es el que está mejor dibujado y coloreado y el que tiene más detalles y adornos. Generalmente también es más grande que el resto de los personajes que aparecen en el dibujo.
- Otra forma de destacar a su familiar predilecto es dibujarle hablando o jugando con él.
- Además, el pequeño suele "ponerle por las nubes" y tiende a identificarse con él en sus explicaciones.

El familiar con el que se lleva peor es...

- Más pequeño que el resto de los personajes. A veces, incluso no lo termina y pueden faltarle las manos, los brazos...
- Suele estar colocado a la derecha del dibujo (a la izquierda en los zurdos), muy cerca del borde del folio.
- Generalmente lo representa separado del resto de la familia, como si no viviera con los demás (esto manifiesta su deseo oculto de apartarle de ellos).
- También puede representarlo dentro de un círculo cerrado, en un intento de mantenerlo al margen de su vida familiar.
- El niño no suele hablar de él en sus explicaciones.

●●●

- En los casos más graves de celos, el hermanito o la persona de quien el niño se muestra celoso no aparece en el dibujo. Para él es como si no existiera.

Los dibujos de vuestro hijo no son sólo una pista estupenda para descubrir si ha aceptado bien a su hermanito o no, sino también para saber cómo se siente en casa con vosotros. No dejéis de analizarlos. Si no se siente bien, vosotros sois quienes mejor podéis ayudarle a recuperar su estabilidad y seguridad emocional.

3
La solución ideal: preparar de antemano al primogénito para la llegada del bebé

El que los celos sean considerados por los especialistas como una reacción normal del niño, que se produce cuando éste cree amenazado el vínculo afectivo que mantiene con sus padres (especialmente con su madre), no significa que no puedan prevenirse de algún modo. Sin duda, la mejor manera de hacerlo es preparando al primogénito para el gran cambio que va a dar su vida, varios meses antes de que nazca el bebé. De este modo sus celos se darán en menor grado y le resultará más fácil superarlos. Esto, a su vez, eliminará el riesgo de que queden instaurados en su personalidad y evitará la posibilidad de que el pequeño acabe convirtiéndose en un adulto celoso, lo que dificultaría sus relaciones con los demás y determinaría, en gran medida, su relación de pareja.

¿CÓMO PREPARAR AL PRIMOGÉNITO PARA LA LLEGADA DEL BEBÉ?

• Habladle del niño que va a llegar, de lo bien que se lo pasarán juntos y de las ventajas de ejercer de hermano mayor.

•••

- Déjale, mamá, que te toque la tripa e intenta explicarle que el niño se está formando dentro de ti.

- No atribuyáis un sexo al bebé si no sabéis seguro que va a ser niño o niña.

- Introducid paulatinamente los cambios en sus hábitos.

- Haced que se sienta implicado en las decisiones que conciernen al bebé: solicitad su ayuda y pedid su opinión.

- Dejad que os vea junto a otros bebés, así después la escena no le resultará tan dolorosa.

- Llevadle a la clínica antes de que nazca el bebé. De este modo podrá ubicaros cuando estéis fuera. Durante la estancia en el hospital, dejadle con alguien querido.

- Intentad evitar que el nuevo nacimiento coincida con cambios importantes en la vida del primogénito.

- No os dirijáis al pequeño como "*mi niño*" sino como "*nuestro niño*".

- Intentad involucrarle en las conversaciones que mantengáis con conocidos, puesto que es inevitable que éstos pregunten siempre por el bebé.

Antes del embarazo

Si tu pareja y tú os estáis planteando la posibilidad de tener otro hijo, sería conveniente que reflexionarais sobre los siguientes aspectos antes de decidiros.

¿Estáis dispuestos a reorganizar vuestra vida, para poder dedicar tiempo a vuestros dos hijos? Si estáis metidos en un ritmo diario que no os deja ni un solo minuto libre al día, la llegada de un bebé puede resultaros caótica y esto dificultaría mucho a vuestro hijo mayor la aceptación del benjamín.

¿Vuestra situación económica os permite afrontar los gastos extras que supone la llegada de un bebé? Es innegable que un nuevo hijo supone gastos y más gastos y también que los apuros económicos crean un mal ambiente en casa. Y es evidente que las tensiones no son buenas para nadie, pero desde luego, habiendo un niño nuevo en casa, a quien más le perjudicarían sería a vuestro primogénito.

¿Creéis que vuestro hijo, con vuestra ayuda, puede llegar a aceptar sin demasiados problemas el dejar de ser hijo único para convertirse en hermano mayor? Respecto a este punto es importante volver a recordaros que el que los niños se lleven menos de dos años es lo ideal para prevenir los celos, por un motivo muy sencillo que tiene su base en el origen de este sentimiento tan humano.

La **conducta de apego** es el modelo de comportamiento que el bebé adquiere en sus primeros meses de vida (exactamente entre los 6 y los 12), como consecuencia de la relación que mantiene con su madre. El niño busca en esta relación una ayuda para recuperar su bienestar cuando se siente desvalido, triste o le duele algo. Y hace evidente la existencia de esta relación y lo importante que es para él a través del deseo constante de estar con su madre, de buscarla con la mirada, de sonreírle en cuanto la ve entrar por la puerta... Esta conducta de apego es la base del aprendizaje para que el niño pueda relacionarse y establecer relaciones cercanas con los demás y sin ella jamás podría sentir amor por los otros, ni identificarse con ellos, ni hacerse amigos...

Entre los 12 y los 18 meses, la conducta de apego deja paso a otro tipo de relación. Es la llamada **vinculación afectiva**, gracias a la cual el pequeño adquiere los valores y las normas adecuadas de comportamiento para poder adaptarse a la vida en sociedad. Entre los 18 y los 24 meses, al tiempo que el pequeño se va socializando, empieza a madurar los procesos mentales que le llevan a conocerse mejor a sí mismo, a sentirse más autónomo, a diferenciarse de los demás, a interiorizar las normas de educación y comportamiento social...Y es a partir de entonces, aproximadamente a los 2 años, cuando puede empezar a sentirse celoso. ¿Por qué? Porque ya es lo bastante maduro para darse cuenta de que esta vinculación afectiva que mantiene con su madre puede verse amenazada.

Por todo ello, si es posible, debéis procurar que vuestros hijos se lleven una diferencia menor de dos años. Siendo así, es más fácil que empiecen a llevarse bien desde pequeñitos.

Durante los meses de espera

Una vez que tu pareja y tú hayáis visto los pros y los contras de tener otro hijo, si finalmente te quedas embarazada, ya sabes que debes seguir preparando el terreno a vuestro primogénito, para que le cueste menos aceptar al bebé. Si tiene menos de 4 años, es mejor que esperéis un poco para comunicarle la buena nueva, para que el tiempo de espera no se le haga tan largo. Pero si supera esta edad, podéis hacerle partícipe de la feliz noticia en cuanto la sepáis vosotros. Si no lo hacéis, se percatará de que algo extraño ocurre en la familia y como no se lo queréis contar, además de sentirse excluido, puede imaginarse que sucede algo malo.

Para evitarlo, hablad a vuestro hijo de la nueva personita que va a llegar a la familia, comentadle lo bien que se lo va a pasar ejerciendo de hermano mayor, adelantadle lo divertido que va a ser enseñarle a andar y a hablar... De este modo conseguiréis que empiece a sentirlo como algo que le pertenece y que se acostumbre a verle como alguien a quien tiene que querer y cuidar.

Intentad explicarle que el bebé se forma en el vientre de mamá. Tened en cuenta su edad y adaptad vuestras explicaciones a su nivel madurativo para que, aunque aún no pueda entenderos bien, al menos sí pueda captar la idea que intentáis transmitirle. Y para que no piense que le queréis menos, intentad hacerle entender que es precisamente por llevar al bebé dentro de sí por lo que ahora mamá necesita dormir y descansar más, se cansa antes cuando jugáis juntos y ya no puede cogerle en brazos como hace un tiempo.

Si vuestro hijo tiene más de 4 años, le encantará tocarle la tripa a mamá y sentir las pataditas de su hermanito. Pídele que te acaricie el vientre cuando notes al bebé inquieto y dile que hacerlo es una forma de empezar a cuidar y a demostrar su cariño al hermanito. Esto creará las bases para que en el futuro mantenga una buena relación con él.

Hasta que no sepáis seguro qué va a ser, no le digáis que va a tener un hermanito o una hermanita. **Habladle del bebé en general**, sin sexo. Ha habido casos de niños que se han hecho a la idea de tener un hermano o una hermana y cuando el pequeño ha nacido y ha sido del sexo contrario al que esperaban, les ha costado aún más aceptarle.

Empezad a introducir en su vida esos cambios que con la llegada del bebé son inevitables. Por ejemplo, **pedidle su colaboración** para que os ayude a reorganizar su cuarto, para que dentro de un tiempo pueda compartirlo con el niño. Y si aún duerme en la cuna con vosotros, trasladadle a su cuarto paulatinamente. Si lo hacéis una vez que mamá dé a luz, se sentirá desplazado por el recién nacido y esto le hará mucho más difícil aceptarle.

Pedidle opinión respecto a las cositas que compréis para vuestro nuevo hijo: si le gusta más que el termómetro de baño tenga forma de pez o de mariposa, si le importa que guardéis algunas de las prendas del bebé en ese cajón de su cómoda que tiene vacío... Y solicitad su cooperación en algunas tareas sencillas que sepáis que puede hacer bien: guardar para el pequeño esos peluches que ya no le gustan, ayudaros a ordenar la compra cuando volvéis del súper... Esto le ayudará a entender que convertirse en "el mayor" no significa sólo perder privilegios, sino también ganar ciertos derechos y lograr una mayor participación en la vida familiar.

También sería bueno que os viera en **contacto con otros bebés** (seguro que algunos amigos vuestros tienen niños pequeños), para que se vaya habituando a lo que sucederá dentro de algunos meses. Vosotros os entrenaréis para cogerlo en brazos, calmar su llanto, bañarlo... Y él se irá familiarizando con la nueva escena.

Poco antes de dar a luz llévale, mamá, a la clínica donde va a nacer su hermanito, ve con él a la cafetería y si te dejan, **visitad el nido juntos**. Así, durante tu ausencia, sabrá exactamente dónde estás, cómo es la primera habitación del bebé, dónde come papá... Esta visita evitará que se forme ideas extrañas en la cabeza sobre dónde te has ido (algunos niños se autoconvencen de que su madre se ha "fugado" con el bebé y no va a volver), le ayudará a familiarizarse con los hospitales (lo que en caso de que alguna vez tengáis que ingresarle, le vendrá muy bien) y la espera hasta que regreséis a casa se le hará mucho más corta.

Procurad evitar que el nacimiento de vuestro segundo hijo coincida con otros cambios importantes en la vida de vuestro primogénito, como el inicio en la guardería o en el colegio, la mudanza a vuestra casa nueva, el abandono del chupete, el adiós a los pañales... Si es mamá quin empieza a llevarle al centro escolar justo cuando nazca el niño, creerá que ha dejado de quererle y que le ha cambiado por el bebé. Además, durante su jornada escolar no podrá evitar imaginarse que mamá está en casa a solas con el pequeño, y esto es algo que le resultará muy doloroso. Igualmente, si justo cuando nazca el niño intentáis quitarle los pañales, se sentirá doblemente inseguro: dejar de hacerse pis y aceptar al hermanito serán dos pruebas demasiado duras para que pueda superarlas con éxito y a la vez. Tened esto en cuenta y en la medida que os sea posible procurad que, a partir de ahora, los **cambios** que se produzcan en la vida de vuestro primogénito se den **de uno en uno**: así los superará mejor.

Mientras la madre está en el hospital

Cuando se acerque el momento de ingresar en la maternidad, es importante que mamá trate de explicar a vuestro primogénito, con mucho cariño, que en cuestión de unos días volverá a casa. Conseguir que se sienta cerca de su madre es fundamental para que estos días que vais a pasar separados le resulten mucho más llevaderos. Además, seguid estos consejos: procurad que vuestro hijo se quede en casa con alguien con quien tenga mucha confianza (su abuela, una tía a la que quiera mucho…). Permanecer en su ambiente le dará seguridad, ahora que tanto la necesita. Si por cualquier circunstancia decidís que se traslade a casa de algún familiar, es conveniente que unos días antes de que ingresen a mamá, el pequeño se quede a dormir en el que va a ser su hogar durante su ausencia. Con esta pequeña precaución, los días que pase allí, no se sentirá tan extraño.

Mamá, llámale desde la clínica y en caso de no haber teléfono, escríbele notas y pide a tu pareja que se las haga llegar. Déjale grabadas en unas cintas, con tu propia voz, sus cuentos favoritos y el día que ingreses, dile que tiene un regalo tuyo escondido en su habitación. Le encantará descubrirlas y al oírlas cada noche te sentirá tan cerca como si estuvieras con él.

También suele ser muy efectivo que os hagáis una foto juntos y que él se quede con una copia y tú con otra. Será una manera de permanecer juntos "físicamente".

Durante tus días de ausencia es fundamental que papá le dedique todo el tiempo libre que le deje el trabajo. Así, si echa de menos la presencia y el cariño de mamá, se compensará con el del papá, lo que evitará que el pequeño se sienta abandonado.

Ponte de acuerdo con tu pareja para que el día que nazca el bebé, vuestro primogénito lleve una bolsita de caramelos a sus compañeros de la guardería o el colegio, para celebrar con ellos el feliz acontecimiento.

Ese mismo día, cuando vaya a verte al hospital con su padre, sorpréndele con un regalo "que le haya traído el hermanito". Esto será un detalle que le gustará mucho y facilitará las bases de una buena relación entre ellos.

Al llegar a casa con el bebé

Una vez que den el alta a mamá, lo mejor es que vuestro primogénito os esté esperando en casa, y no en casa de un familiar. Hasta ahora él ha sido vuestro ojito derecho, vuestro centro principal de atención, y es a él a quien primero debéis presentar al bebé.

Al llegar a casa, procurad que sea papá quien sostenga al niño. Así, mamá llegará con las manos vacías y podrá abrazar a vuestro primogénito, que está deseando verla y dejarse caer en sus brazos. Como al poco tiempo de llegar tendrás que ponerte a bañar al niño o a darle el pecho o el biberón, antes de llegar a casa hablad sobre cómo vais a repartiros el tiempo y las tareas entre los dos niños, para no desatender a ninguno.

Cuando os refiráis al pequeño, no le llaméis "*mi niño*" ni "*mi bebé*", referíos a él como *"nuestro bebé"*. De esta manera ayudaréis a entender a vuestro hijo mayor que también es suyo y le será más fácil considerar al pequeño como un regalo, más que como "una carga".

Si los primeros días, cuando mamá vuelva a casa, os sentís desbordados, no dudéis en **pedir ayuda** a alguien muy cercano. Eso sí, buscad a la persona adecuada: que sea de confianza, que sea flexible y que se ciña a su función sin inmiscuirse en vuestro terreno. Que os eche una mano será el remedio ideal para empezar a familiarizaros con los cuidados y atenciones que precisa vuestro hijo pequeño, al tiempo que seguís demostrando vuestro cariño y dedicando tiempo a vuestro hijo mayor, que ahora tanto os necesita.

Pedid ayuda a vuestro hijo mayor para atender al bebé. Acercaros su babero para que le limpiéis la boca mientras le alimentáis, ir a por su pañal para que le cambiéis o colocar un taburete junto al cambiador del bebé para que tenga la posibilidad de observar perfectamente lo que hacéis y pueda colaborar son pequeñas tareas que le harán sentirse responsable y le ayudarán a ir aceptando el nuevo lugar que ocupa en la familia. Esto le hará sentirse plenamente partícipe en la relación que mantenéis con el pequeño, lo que a su vez reducirá el riesgo de posibles celos.

Si al ver que mamá da de mamar al bebé le pide que le dé el pecho a él también, déjale que te chupetee el pezón. Sin embargo, conviene que al mismo tiempo le expliques que alimentarse de esta manera es un privilegio según la edad, no la persona, y que cuando él era pequeñito, también mamó. Esto le ayudará a entender el porqué de esta relación tan íntima entre el pequeño y mamá y evitará que convierta su deseo de chuparle el pecho en un hábito.

Durante los primeros días de vuelta a casa, dedicad un ratito todos los días a **hablar** a vuestro hijo mayor **de cómo era él de pequeño**. Ver con él un álbum de fotos o un vídeo o incluso jugar con uno de sus primeros juguetes le producirá una sensación de bienestar y seguridad muy agradable.

En cuanto a las visitas, es un grave error que lleguen a vuestra casa preguntando directamente por el recién nacido, así como que se centren en él y no hagan el menor caso al que hasta ahora ha sido su niño favorito. Esto, lógicamente, hace que el primogénito se sienta fatal. Para evitarlo, conviene que antes de que vayan a veros habléis con vuestros familiares y amigos y quedéis con ellos en que lo primero que hagan al llegar a casa sea dirigirse al niño mayor y después de preguntarle cómo está, que le pidan que les enseñe a su hermanito. Así no se sentirá desplazado e irá asumiendo el nuevo papel que a partir de ahora tendrá que desempeñar en la familia.

Para dar una agradable sorpresa a vuestro hijo mayor, **id con el bebé a buscarle a la guardería** o al colegio. Le encantará veros allí y disfrutará muchísimo enseñando el chiquitín a sus compañeros.

Si en vuestro camino de vuelta a casa, o cada vez que salís de paseo, los vecinos y conocidos con los que os encontráis centran su atención en el bebé, intentad **involucrar a vuestro primogénito en las conversaciones** que mantengáis con ellos, diciendo algo así como *"¿habéis visto cómo ha crecido Juan?"* o *"estamos muy contentos de lo bien que se porta en la guardería"*. Así evitaréis que en adelante se niegue a salir de paseo con el pequeño (a muchos niños les ocurre).

En cualquier caso, no os extrañéis si durante un tiempo también se muestra celoso al ver que su padre besa a mamá o le hace arrumacos (tener que compartirte también con su padre le parece el colmo de la desdicha). Es una reacción normal que tienen muchos "príncipes destronados", que no tiene importancia y que suele desaparecer en cuestión de unos días.

4

Las reglas de oro para mejorar y fortalecer la unión entre hermanos

Como en todo lo referente a la educación de los hijos, la actitud que vosotros adoptéis con los vuestros es determinante para conseguir que se lleven bien y mantengan una relación íntima y cercana. A continuación os exponemos los comportamientos y actitudes más adecuadas para conseguir una unión si no ideal, al menos aceptable entre vuestros pequeños.

EVITAD PONER ETIQUETAS A VUESTROS HIJOS.
Si uno es el tranquilo y otro el "rabo de lagartija", o uno es el encantador y otro el diablillo, es más fácil que surjan los celos y las rivalidades entre ellos. Además, los niños harán suya la etiqueta que les hayáis puesto y se comportarán tal y como ella implica, pues creen que "eso" es lo que esperáis de ellos. Por ejemplo, si llamáis terremoto a un niño, es lógico que no pare un instante y que destroce y rompa todo lo que cae en sus manos, pues él interpreta vuestro apodo como que queréis que se comporte así.

QUEREDLOS TAL Y COMO SON.
Aceptadlos con sus defectos y sus virtudes, pero recordad que si minimizáis sus defectos (aunque tra-

téis de corregirlos) y resaltáis y celebráis los aspectos más positivos de cada uno, los niños se sentirán queridos y apoyados por ser como son y adquirirán más confianza en sí mismos, lo que prevendrá en gran medida que sientan celos el uno del otro.

NO LOS COMPARÉIS, NI AHORA NI CUANDO EL BEBÉ CREZCA.

Al comparar a los niños siempre se pone como punto de referencia al mejor y esto puede crear sentimientos de inferioridad, rencor, envidia y rivalidad en el otro, que sentirá que las personas a las que más quiere le hacen de menos. Al mismo tiempo, si el hijo "bueno" es hipersensible, ser mejor que su hermano puede crearle sentimientos de culpabilidad y tristeza, lo que tampoco le hará ningún bien.

NO DEMOSTRÉIS PREFERENCIA POR NINGUNO DE ELLOS.

Es posible que tengáis cierta preferencia por alguno de vuestros hijos, porque es más simpático, más cariñoso, más agradecido... A veces es algo inevitable. Si a vosotros os ocurre, tened mucho cuidado de no discriminar ni criticar a vuestro otro hijo, porque en este caso sus celos sí tendrían razón de ser y además de hacerle mucho daño, podríais dejar una huella muy dolorosa en su memoria, que además de afectar a su personalidad, no favorecería en absoluto la relación con su hermano.

OTORGAD AL PRIMOGÉNITO CIERTOS DERECHOS POR SER "EL MAYOR".

Puede beneficiarse de privilegios tales como acostarse más tarde, cenar "con los mayores", jugar con vosotros a algo que le guste mucho cuando el bebé esté durmiendo... Y pedidle ayuda para atender al bebé. Sin embargo, no os olvidéis de su edad ni le responsabilicéis de tareas para las que aún es demasiado pequeño (podría agobiarse). Está bien que colabore en los cuidados de su hermanito, pero no que viva al benjamín como una carga.

IDEAD ACTIVIDADES Y JUEGOS NO COMPETITIVOS EN LOS QUE PUEDAN PARTICIPAR LOS DOS.

Siempre que los pongan en práctica, felicitadles por lo bien que se están comportando. Así fomentaréis la unión entre ellos y les habituaréis a compartir sus cosas.

TODOS LOS DÍAS, DEDICAD UN RATITO A JUGAR CON ELLOS.

Hacerlo es la mejor manera de enseñarles a divertirse juntos y de fomentar su interés por los juegos en común y posteriormente, en grupo.

SI VEIS QUE VAN A PEGARSE, INTERVENID ANTES DE QUE "LA SANGRE LLEGUE AL RÍO".

Entretenedles con otra cosa. Cuando os sintáis desbordados y no sepáis qué hacer para evitar que dejen de pelearse, consoláos pensando que el que se peleen y no se lleven bien durante una temporada es una fase más de su desarrollo, por la que pasan todos los niños que tienen hermanos, que les ayuda a ser más sociables y les enseña a compartir.

A CADA UNO LO SUYO.

Deben saber quién es el dueño de cada cosa. Esto les dará seguridad, les enseñará el significado de conceptos como "posesión" y "pertenencia" y les hará entender que pese a tener un hermano, cada cual ocupa un lugar único en la familia y tiene objetos que le pertenecen en exclusiva.

SI SE PELEAN, NO OS PONGÁIS DE PARTE DE NINGUNO.

Esto acrecentaría sus celos y sus sentimientos de rivalidad. Enviad a cada uno a un rincón de la habitación y esperad unos minutos, hasta que se hayan calmado. Una vez se tranquilicen, aparentad que os habéis olvidado del percance y tratadlos como si no hubiera ocurrido nada. Esto evitará que surjan rencores entre ellos.

SI SE PELEAN POR UN JUGUETE, GUARDADLO EN UN ARMARIO.

Explicadles que hasta que no hagan las paces, no podrán disponer de él. Cuando los niños son mayorcitos y se encaprichan del mismo juguete, otra buena idea es establecer turnos para que jueguen con él, programando un despertador para que suene cada cuarto de hora (en el capítulo 7 encontraréis muchas más sugerencias).

ENSEÑADLES A COMPARTIR.

Aunque cada niño tenga su rincocito en su habitación y sus propios juguetes, debéis inculcarles la idea de que en la familia, todo es de todos. Recordadles que vosotros compartís los discos, los libros, las cintas de vídeo, algunas prendas de ropa e incluso la última magdalena que quedaba esta mañana para desayunar. Hacedles ver también que hay muchas cosas de uso común en vuestra casa, como la tele, el microondas, la bañera... que son de todos. Vuestras explicaciones les ayudarán a entender que compartir es algo que forma parte de la cotidianidad y muy especialmente de la vida en familia. Si se muestran muy reacios a prestarse sus cosas, no les forcéis a hacerlo. Esto podría llevarles a intentar acaparar más y más pertenencias, por si acaso tienen que prestar algunas. Dad tiempo al tiempo y de vez en cuando insistid en las ideas anteriores. No tardarán en descubrir que disfrutar en compañía de todo lo que tienen es mucho más gratificante que hacerlo a solas.

NO OS HABITUÉIS A COMPENSARLES POR CUALQUIER COSA QUE HAGAN BIEN.

Si lo hacéis, cada uno estará pendiente de lo que dáis al otro y esto puede ser la base de una posible rivalidad entre ellos. Está bien que premiéis a los niños cuando hacen algo que les cuesta esfuerzo, pero no como norma, ya qué lo normal, en una familia, es llevarse bien y obedecer a los mayores.

INTENTAD BUSCAR MOMENTOS PARA PODER ESTAR A SOLAS CON CADA UNO DE ELLOS.

Así entenderán que la relación que mantenéis con cada uno de ellos es exclusiva.

ACOSTUMBRAOS A RECOMPENSARLES SEGÚN LO QUE SE HAYAN ESFORZADO, NO LO QUE HAYAN CONSEGUIDO.

De esta manera comprenderán que es normal que premiéis al pequeñín por conseguir algo que le cuesta, y que no felicitéis al mayor por lograr lo mismo, puesto que a él no le supondrá ningún esfuerzo. Al principio, esta actitud vuestra puede desconcertar al primogénito, pero luego le ayudará a comprender los conceptos de justicia e injusticia, lo que es importante para evitar que tenga celos.

HABITUADLOS A COLABORAR EN CASA.

Encargadles tareas adecuadas a su edad, que puedan realizar bien (para evitar que se frustren) y sin peligro (de este modo no tendréis que estar constantemente pendientes de ellos). Fomentar el espíritu de participación y colaboración en la familia es la manera ideal de fortalecer la unión entre los hermanos.

SI NO SE LLEVAN BIEN, INTENTAD QUE COMPARTAN LA HABITACIÓN.

Está comprobado que dormir juntos les ayuda a superar sus miedos, les incita a compartir sus pertenencias y a unirse frente a los padres para conseguir lo que quieren (esto puede ser "peligroso" para vosotros) y además, les ayuda a crecer y a madurar: al mayor porque defenderá y protegerá al hermanito de otros niños o cuando corra peligro, y al pequeño, porque aprenderá muchas cosas al tratar de imitar al hermano, que para él, junto a sus padres, es el modelo a quien le encantaría parecerse.

¿QUÉ HACER PARA MEJORAR LA RELACIÓN ENTRE HERMANOS?

- No etiquetéis a vuestros hijos.
- Aceptadlos tal y como son y evitad compararlos.
- No demostréis preferencia por ninguno de ellos.
- Otorgad ciertos privilegios al mayor.
- Poned en práctica actividades en las que puedan participar los dos.
- Dedicad todos los días un rato a jugar con ellos.
- Evitad que se peguen.
- Procurad enseñarles a compartir.
- No toméis partido por ninguno cuando se peleen.
- No les recompenséis por todo lo que hagan bien.
- Habituadles a colaborar en casa.

Si después de llevar a la práctica todas estas sugerencias, vuestros hijos continúan llevándose peor de lo que os gustaría, no os desesperéis ni penséis que son incompatibles. En el fondo se quieren, y mucho. ¿Queréis comprobarlo? Observadles cuando jueguen con otros niños. Ya veréis cómo en cuanto alguien se meta con uno de ellos, el otro saldrá en su defensa, e incluso será capaz de pelearse para defender a su hermano. Esto, sin duda, os tranquilizará (aunque luego tendréis que enseñar a vuestro hijo otras maneras de defender lo suyo que no sean agresivas) y os convencerá de que los lazos afectivos entre ellos, aunque a veces parezcan estar muy ocultos, realmente están ahí... Y son muy fuertes. Estad seguros.

5
Las dudas más frecuentes de los padres

Aunque a veces penséis que vuestras vivencias son exclusivas de vuestra casa y familia, no es así. Todos los padres con hijos pequeños pasan por situaciones de caos y conflicto debido a las turbulentas relaciones de sus hijos y, desesperados, se hacen las mismas preguntas que vosotros: ¿se llevarán siempre así?, ¿podrán superar sus celos?, ¿hay alguna manera de evitar que se peleen tan a menudo? En este capítulo se ha hecho una recopilación de las dudas más habituales. Es de esperar que las respuestas y soluciones que se proponen os solucionen más de una "papeleta".

[?] *Vamos a tener un bebé y a nuestro hijo mayor, de 3 años, la llegada del hermanito no le hace ni pizca de gracia. ¿Qué podemos hacer para que empiece a quererle incluso desde antes de que nazca?*

Para que la aceptación del bebé le cueste menos debéis poner en práctica los consejos que hemos recomendado en el capítulo 3, que ya habéis visto que son específicos para ayudar al primogénito durante el embarazo. Y, desde luego, lo que no debéis hacer es pedir (y menos exigir) a vuestro hijo mayor que quiera al bebé. El amor entre hermanos no es innato, va creciendo poco a poco a partir del contacto diario que mantienen en casa, y si le pedís que sienta algo que le es ajeno, sólo conseguiréis crear en él un incomodísimo sentimiento de culpa que le desconcertará. Como vosotros mismos podréis comprobar, lo que mejor resultado dará será no dar demasiada importancia a su actitud de rechazo hacia el futuro hermanito (angustiaros por ella no tiene el menor sentido) y repetirle una y otra vez que no tiene por qué querer al bebé si no le apetece hacerlo. Así, al no sentirse presionado por vosotros, una vez que nazca el pequeño se irá encariñando con él de forma espontánea y en lugar de sentirse celoso, se convertirá en su mejor y más responsable cuidador.

? *Acabamos de tener un bebé y nuestra hija mayor, de 30 meses, rompe a llorar desconsolada en cuanto ve a mamá darle de mamar. ¿Por qué le afecta tanto? ¿Debe mamá alimentar al pequeño sin que ella la vea?*

Vuestra hija llora porque vive el amamantamiento como algo que mamá ofrece a su hermanito y le niega a ella. Para que empiece a considerarlo como algo natural, intentad explicarle que su hermanito mama porque es muy pequeño, igual que hacía ella cuando nació (le encantará que le habléis de entonces), y que en cuanto sea un poquito mayor, él también dejará de hacerlo. Esto le ayudará a entender que mamar no es un privilegio personal, sino una necesidad que viene determinada por la edad. Reclamad su colaboración mientras mamá amamanta al pequeño: pedidle que le limpie la boca con una servilleta, que le acaricie un pie, que hable bajito para no asustar al pequeño... Ver que la necesitáis le ayudará a afianzar su lugar en la familia y evitará que se sienta tan celosa. Lo que no debéis hacer nunca es echarla de la habitación o pedirle que espere en la contigua. Si lo hacéis, pensará que mamá quiere alejarse de ella y por su cabeza pasarán montones de fantasías, que acrecentarán sus celos (que su madre prefiere al bebé antes que a ella, que le molesta, que quiere perderla de vista...). Si alguna vez te pide, mamá, que le des de mamar, deja que te chupetee el pezón. Ella misma, al comprobar que esta actitud no le satisface, dejará de adoptarla.

? ¿Es verdad que compartir la habitación puede ayudar a nuestro hijo mayor, de 3 años, a superar los celos de su hermanito?

Sí, puede ayudarle siempre y cuando no se lo impongáis como una obligación. Si no quiere y le obligáis a aceptar al bebé en su cuarto, le considerará como un intruso que además de robarle vuestro cariño le ha invadido su reducto más íntimo. Lo mejor es que le planteéis la posibilidad de compartir su habitación con el benjamín como algo muy divertido y una vez que acepte la idea, que le impliquéis en la remodelación del dormitorio, unos días antes de trasladar al bebé allí. Es importante que le expliquéis que compartir el cuarto con el bebé no significa que tenga que dejarle todas sus cosas. Es más, hacedle ver que estáis de su parte y proponedle que reserve un rincón especial en las baldas más altas de la estantería para esas pertenencias más delicadas y queridas que no quiere dejar al alcance del pequeño. También es recomendable que, aunque la habitación tenga una zona común de juego, la dividáis en dos ambientes completamente independientes (poner un biombo, colocar una tarima en el suelo o pintarla en dos tonos distintos son algunas posibilidades). De este modo cada niño tendrá un rinconcito particular en casa, lo que les ayudará a entender conceptos tan básicos para la convivencia familiar como son "propiedad", "compartir" y "respeto". Sin duda, pasar más tiempo juntos dará a vuestros hijos la oportunidad de unirse, pero tened en cuenta que también se pelearán de vez en cuando.

Al contrario que compartir la habitación, que los hermanos duerman en la misma cama no es bueno por varios motivos: al disponer de una única cama, los niños tienen menos espacio para moverse cómodamente; además, los posibles escapes nocturnos de cada uno pueden incomodar al otro, e incluso hacer que coja un enfriamiento; la mayoría de los niños se mueven mucho por la noche y hablan en sueños, por lo que se molestarían mutuamente; por último, si uno de ellos está incubando una enfermedad, seguro que se la contagiará al otro.

[?] *Curiosamente, nuestro hijo pequeño, de 4 años, tiene celos del mayor, que le lleva año y medio. ¿Es esto normal? ¿Cómo podemos ayudarle?*

Aunque esta situación no es la más frecuente, no os preocupéis, porque se da de vez en cuando. Probablemente vuestro hijo pequeño tenga muy poca seguridad en sí mismo y considere a su hermano mayor como un líder, como un modelo inalcanzable para él. Además, es casi seguro que en su fuero interno esté convencido de que le queréis más que a él, por eso se irrita tanto cuando su hermano trata de enseñarle algo o le dice lo que tiene que hacer. Sin duda, le considera su contrincante, más que su compañero de juegos. En este caso, la mejor terapia para vuestro hijo pequeño es encargarle alguna tarea que afecte a toda la familia: por ejemplo, poner la mesa a diario, ordenar el revistero del salón o hacer recuento de los bollos que quedan para desayunar al día siguiente, por si hay que comprar más. Con ello conseguiréis fomentar su autoestima, le convenceréis de que ocupa un lugar importante en

casa, que nadie puede ocupar por él, y le ayudaréis a concienciarse de que su hermano, pese a
ser tan autosuficiente como a él le parece, también le necesita, igual que le necesitais vosotros.
¡Pero cuidado! Para no complicar más las cosas,
advertid a vuestro hijo mayor de que este encar-
go de tareas del hermanito no supondrá un detrimento de las suyas habituales, no sea que en poco tiempo se inviertan los papeles y el que
empiece a tener celos sea él.

*Tenemos una hija de 4 años que está desespe-
rada porque su hermanito, de 1 año, quiere jugar con ella y al hacerlo, muchas veces le rompe sus juguetes. ¿Qué hacemos? Cerrar la puerta
al pequeño para que la niña juegue tranquila
nos da mucha pena, pero no queremos que
nuestra hija mayor se disguste ni tampoco que
el comportamiento de su hermanito le haga
aún más difícil su aceptación.*

Vuestra actitud para resolver este pequeño conflicto familiar es importantísima. Ante todo, poneos en el lugar de vuestra hija mayor y tratad de
entender que es lógico que su hermanito sea un
"estorbo" para ella. Para no agudizar sus celos (si
le decís: *"¡pobrecito, déjale que es muy pequeño!"*, los aumentaréis), poneos de su parte y cuando el pequeño le rompa algo, comentadle con
voz de pena: *"¡qué lastima, como el bebé es tan*

travieso, tendrás que volver a montar el puzzle!". Así, vuestra hija comprenderá que estáis de su parte y que sois perfectamente conscientes de lo que ocurre. Pero además, para evitar que la niña se disguste a diario, hay muchas soluciones que podéis poner en práctica.

Reservadle un rincón donde el hermanito no llegue, ya sea en su habitación o en la salita de estar (a todos los niños les encanta estar con sus padres). Y, si aun así, el pequeño logra encaramarse a un taburete y llegar a los juguetes "prohibidos", poneos serios con él y hacedle ver que hay cosas que no se tocan. Puesto que ya se desplaza solo, tendrá más de un año, y ésta ya es edad suficiente para que empiece a respetar las primeras normas básicas de comportamiento.

Mientras vuestra hija mayor se entretiene con sus cosas, procurad entretener al pequeño con una caja llena de sorpresas: un pañuelo multicolor, unos muñecos de trapo y algunos minicuentos plastificados le mantendrán "en activo" durante un buen rato. Variad el contenido de la misma de vez en cuando, para que no pierda el interés por ella. Así lograréis que vuestros hijos jueguen juntos, aunque aún no compartan los mismos juguetes.

Preguntad a vuestra primogénita qué juguetes no le importaría dejar al pequeñín. Para él serán "juguetes de mayor" que le mantendrán entretenido y dispersarán su interés por los juguetes de su hermana. Y para ella, además de ser una manera de tranquilizarla y dejar que disfrute de sus juguetes sin ningún temor, también será un modo de empezar a compartir cosas con su hermanito, algo que sin duda fomentará la unión y el compañerismo entre ellos.

Respecto a vosotros, no os hagáis falsas ilusiones pensando que vuestros hijos van a hacerse inseparables en cuestión de unos días. Los dos son muy pequeños y necesitan tiempo para habituarse el uno al otro (y esto, contando con que los dos cambian día a día). Lo mejor, hasta que aprendan a jugar juntos, es que os mantengáis atentos y en cuanto veáis que uno está incordiando demasiado al otro, los separéis y procuréis distraerlos con otra cosa.

? *Tenemos dos hijos "mayores", de 4 y 5 años, que están tremendamente celosos el uno del otro. Nosotros pensábamos que esto ocurría cuando los niños eran más pequeños o se llevaban más edad, pero estamos comprobando que estábamos equivocados. ¿Qué podemos hacer?*

Ante todo, prestadles mucha atención. Vuestros hijos ya se han dado cuenta de que son personas independientes, que pueden vivir sin vosotros, y esto, al tiempo que les produce mucha satisfacción, les causa un miedo atroz, que curiosamente les lleva a necesitaros incluso más que antes. Por eso les cuesta tanto aceptar que "perdáis el tiempo" atendiendo al otro. Durante una temporada, hasta que vuestros hijos se lleven mejor, procurad dedicarles todo el tiempo que podáis y mostraros especialmente afectuosos y cariñosos con los dos. Cuanto más cariño reciban los niños, menos riesgo correrán de sentirse celosos, ya que vuestro afecto les ayudará a entender, aunque sea inconscientemente, que cada uno es único e insustituible para vosotros y que cada cual tiene un lugar definido en la familia, que sólo puede ser ocupado por él. Por supuesto, debéis evitar hacer cualquier comparación entre ellos, ya que éstas son el estímulo más eficaz para fomentar la aparición de los celos.

Respecto a sus juguetes, no os esforcéis en buscar dos que sean exactamente iguales (algunos padres lo hacen, pensando que es la solución perfecta para que sus hijos no se peleen). Si lo hacéis, vuestros pequeños se dedicarán a buscar cualquier pequeña diferencia entre ellos, lo que aumentará su rivalidad. Aunque puede pareceros una solución un tanto chocante, estad seguros de que lo mejor que podéis hacer para evitar sus peleas es comprar un único juguete para los dos. Ya tienen edad para jugar juntos y así, además de acostumbrarse el uno al otro, se habituarán a compartir sus cosas. Por supuesto, armaos de paciencia y dad por hecho que tardarán unos días en aceptarse mutuamente como compañeros de juegos.

? *Nuestra hija, de 3 años, nos tiene desconcerta-dos. A veces se muestra atenta y afectuosa con su hermanito, que tiene 6 meses, y otras veces dice que le odia, intenta romper sus cosas y nos pide que le devolvamos al hospital. ¿A qué se deben estos cambios de actitud? ¿Son habituales?*

Sí, no os extrañéis. Estas reacciones tan contradictorias de vuestra hija son el reflejo de su lucha interna de sentimientos: por un lado el bebé le inspira ternura, le produce curiosidad, le gusta... Y por todo ello le quiere. Pero por otro, la pequeña siente que el niño la está alejando de vosotros y, por eso, a veces, le encantaría que desapareciera. No os preocupéis, a medida que vaya aceptando su nueva situación, dejará de mostrarse tan inestable. Hasta entonces, procurad dedicadle un tiempo en exclusiva todos los días, cuando el bebé esté dormido, y si alguna vez la sorprendéis intentando hacer llorar al pequeño o tirando al suelo sus juguetes, procurad mantener la calma. Si la regañáis duramente y os mostráis muy enfadados con ella, sólo conseguiréis acrecentar sus sentimientos de culpa. Por el contrario, si le pedís que os ayude a consolarle o a recoger sus juguetes, le estaréis diciendo que la necesitáis, que su colaboración os es muy útil, al tiempo que le ofrecéis la posibilidad de redimirse. De este modo se convencerá de que sigue teniendo un lugar entre vosotros que nadie le puede usurpar.

? *Estamos muy preocupados porque hemos sorprendido varias veces a nuestra hija, de 5 años, pellizcando y pegando al bebé. Nos da miedo dejarla a solas con él, porque pensamos que puede hacerle daño de verdad. ¿Qué le ocurre? ¿Qué debemos decirle para que razone?*

Es evidente que vuestra hija tiene unos celos desmesurados del bebé y que su manera de exteriorizarlos es adoptando una conducta agresiva contra él. Pensad en cuál puede ser el origen de este excesivo rechazo: sin daros cuenta, tal vez estéis dedicando todo vuestro tiempo al bebé y os hayáis "olvidado" de la pequeña. Como ya es mayorcita, conviene que le expliquéis que si no trata con mimo al bebé puede hacerle mucho daño. Habladle con mucho cariño (sentirse rechazada por vosotros puede acrecentar sus celos y agravar la situación), pero sed firmes en vuestras explicaciones y advertirle que si vuelve a intentar hacer daño al bebé, vais a enfadaros mucho. Insistid en que tener un hermanito no significa perder su lugar entre vosotros, sino incorporar un nuevo miembro a la familia a quien dar y de quien recibir mucho cariño.

También es muy positivo que la convirtáis en vuestro cómplice a la hora de atender al bebé. Así se sentirá más cerca de vosotros, integrante de vuestro equipo, algo que sin duda atenuará sus celos.

? *Desde que nació nuestro segundo hijo (ahora tiene un mes), nuestra hija mayor, de 3 años, adoptó un comportamiento "excesivamente" maternal con él: le acaricia constantemente, insisite en cogerle en brazos, quiere acunarle para que se duerma, se despierta si llora por la noche... No hemos observado ningún otro comportamiento inusual en ella, pero éste, desde luego, no nos parece normal.*

Vuestra hija está en la edad en la que la imitación es su juego favorito y, curiosamente, también es su mejor modo de aprender. Teniendo en cuenta su comportamiento (aunque no es demasiado habitual, no debéis preocuparos por él), sería bueno que le regalárais el muñeco más similar a un bebé que encontréis. Así podrá ejercer su rol de mamá, que tanto le gusta. Además, al atender al muñeco mientras vosotros atendéis al pequeño, se identificará con vosotros, algo que le ayudará a sentiros más cerca. Al mismo tiempo, vuestra hija, sin darse cuenta, proyectará sus deseos de ser más pequeña en su muñeco y de algún modo, al mimarle a él, es como si se mimara a sí misma, lo que evitará que tenga conductas regresivas (típicas de edades más tempranas) por haber tenido un hermanito. Como veis, atender al muñeco ayudará a vuestra pequeña a ejercer el papel de persona mayor y de niña pequeña a la vez. Lo primero le encanta y lo segundo le ayuda a prevenir los celos.

? *Nuestro hijo, de 4 años, se chiva de todo lo que hace su hermano pequeño. ¿Por qué lo hace? ¿Cómo debemos reaccionar ante esta fea costumbre suya?*

A veces, los celos entre hermanos se manifiestan en forma de acusaciones. Al nacer el bebé, el niño mayor pierde seguridad en sí mismo y trata de recuperarla a base de "meter en líos" a su hermanito. ¿Cómo? Contando a sus padres lo malo que es, las palabrotas que dice... Sin duda, vuestro hijo se chiva para reclamar más atención. Cuando acuda a vosotros con un chismorreo, salvo que se trate de algo realmente peligroso o importante (hay chivatazos que han evitado accidentes muy graves), conservad la calma y respondedle con frases *como "no te preocupes, ya limpiaré lo que está manchando el niño"* o *"no importa, en cuanto rompa unas cuantas revistas más, se cansará de hacerlo".* De este modo evitaréis que su acusación se convierta en un éxito inmediato. Y así, al comprobar que con su actitud no ha obtenido el resultado que esperaba, poco a poco dejará de adoptarla. Si alguna vez se queja de que consentís más al pequeño que a él, explicadle que a él le exigís más porque al ser mayor es capaz de hacer y entender las cosas mucho mejor y esperáis una conducta mucho más madura por su parte.

Por otro lado, también es conveniente que cuando se chive de algo, en lugar de recriminar por ello a vuestro primogénito o de regañar impulsivamente al benjamín, le animéis a pensar qué podría hacer para evitar la travesura del hermanito si vosotros no estuviérais allí. Así le convertiréis en vuestro aliado, para evitar las diabluras y situaciones de peligro del pequeño y le incitaréis a cuidar de él.

En cualquier caso, si efectivamente vuestro hijo pequeño ha hecho algo que no debe, procurad no regañarle delante del primogénito. Esto haría que el pequeño considerara al mayor como su enemigo y podría darle a entender que chivarse es una manera de ganarse el aprecio de los mayores, lo que haría que en breve él también adoptara esta fea costumbre.

? *Es curioso. Nuestro hijo mayor, que tiene 3 años, nunca se ha sentido celoso de su hermanito, que tiene 3 meses. Sin embargo, desde que nació el pequeño ha empezado a llevarse peor con sus compañeros de clase: se pega a menudo con ellos y en cuanto alguno hace algo que no debe, se lo cuenta a su profesora.*

Como les ocurre a todos los niños, la llegada del hermanito también ha afectado al vuestro, lo que ocurre es que su reacción no es la habitual en estos casos. Vuestro hijo, en lugar de demostrar sus celos en casa, con vosotros, los traslada al colegio. Su comportamiento denota que se trata de un niño muy maduro para su edad; por eso aguanta bien que en casa le dediquéis menos tiempo. Pero que su profesora del cole muestre preferencia por algún compañero o le preste más atención que a él ya es la gota que colma el vaso. De ahí que en cuanto nota que le relega a un segundo plano, no lo pueda tolerar y estalle en patadas y mordiscos con sus compañeros.

Aunque las reacciones agresivas de vuestro hijo os resulten molestas y hasta es posible que algún padre os llame la atención, pensad que son positivas para él. Por un lado, porque así descarga la tensión que acumula en casa al veros con el bebé y, por otro, porque su sentimiento de celos le hace darse cuenta de que los demás existen y de que a veces es necesario renunciar a sus propios gustos y apetencias para satisfacer las de los otros.

Para que a partir de ahora vuestro hijo no tenga necesidad de pegarse con sus compañeros para paliar el malestar que le producen los celos del hermanito, procurad dedicarle más tiempo en casa y realizar con él actividades "de mayor", como ayudar a limpiar el coche o echar una mano en la cocina, colocando en los estantes lo que acabáis de traer de la compra. De todos modos, procurad ser pacientes con él y tened siempre en cuenta que para que en el futuro pueda llegar a tener amigos de verdad, es necesario que primero se pegue y discuta con ellos.

? *Nuestra hija María, que tiene 6 años, siempre ha sido una niña muy responsable, pero desde que nació su hermanita esta faceta se ha agudizado: se esfuerza en hacerlo todo perfectamente bien, nos ayuda incluso aunque no se lo pidamos, lleva su plato a la mesa, recoge su cuarto, se muestra atenta con el bebé... Creemos que su manera de comportarse no corresponde a su edad.*

La reacción de vuestra hija ante el nacimiento del bebé se da con cierta frecuencia en niños que son muy responsables y que se exigen mucho a sí mismos. Lo que vuestra niña pretende con su comportamiento es ganarse vuestro cariño y fortalecer el puesto que tiene en casa, con vosotros, pues ahora lo ve amenazado por su hermanito. Está intentando ganarse vuestro cariño a base de portarse bien, de ayudaros, de atender al pequeño... En resumen, de hacer méritos. Hablad con ella y hacedle ver que la queréis y la aceptáis tal y como es y que no debe hacer nada "extra" para ganarse vuestro cariño, pues nunca vais a dejar de quererla, ni aunque en el futuro volváis a tener otro bebé. Explicadle también que si alguna vez se equivoca y hace algo mal, no pasa nada. Así bajará el nivel de exigencia que se ha marcado a sí misma y tolerará mejor sus propios errores, algo que, sin duda, le ayudará a ser más feliz.

¿Es cierto que el orden de nacimiento de los hermanos les hace más o menos vulnerables a los celos?

Sí, es cierto. Generalmente el primogénito, antes de la llegada de sus hermanos, es el hijo que más celoso se muestra de la relación que mantienen sus padres. Posteriormente, la llegada del hermanito le hace sentirse como un "príncipe destronado" y, lo demuestre o no, es inevitable que sienta celos del recién llegado. Esta experiencia, sin embargo, le ayuda a madurar y a hacerse más responsable (tiene que convertirse en el modelo a imitar para el benjamín). La mayoría de los primogénitos son defensores acérrimos de las costumbres familiares, se exigen mucho a sí mismos y suelen tratar a los demás de manera paternalista y protectora. Todo ello les convierte en personas especialmente vulnerables a los celos, pero su fortaleza hace que les cueste poco superarlos, convirtiendo en positivas sus experiencias celosas.

Los hermanos medianos o intermedios son los menos expuestos a los celos, pues sus relaciones con sus hermanos mayores y pequeños favorece su sociabilidad. Aunque son los hermanos a los que menos caso se les hace (no se les otorgan privilegios por no ser mayores, ni se les mima demasiado por no ser pequeños), suelen tener recursos para superar bien las situaciones que les producen celos.

Por último, el benjamín casi siempre es el protegido de los padres y cuando la diferencia con sus hermanos es muy amplia, también de éstos, por lo que suele ser una persona muy dependiente de los demás y muy vulnerable a los celos. Su personalidad suele caracterizarse por la inseguridad, la inestabilidad y la tendencia a sentirse víctima, pues todos le ordenan lo que tiene que hacer y él nunca puede ordenar a nadie, porque no le hacen caso. Le cuesta más superar los celos que al primogénito y a los hermanos medianos, pero si sus padres le echan una mano, también puede superarlos sin convertir su experiencia en traumática.

? *Elena, nuestra hija de 3 años, está tremendamente triste desde que nació su hermanito: ha perdido el apetito, duerme mal, no tiene ganas de jugar con sus amigos... Y lo que más nos inquieta es que tiene una profunda expresión de tristeza en los ojos. ¿Qué podemos hacer para que se sienta mejor y vuelva a ser tan alegre y dicharachera como antes?*

Es evidente que lo que le ocurre a vuestra hija es que está muy deprimida. La llegada del hermanito ha debido pillarle en un mal momento (¿os acabáis de cambiar de casa?, ¿tiene problemas en el colegio?) y le ha sobrepasado. Por lo que contáis, parece que la pequeña no va a poder sobreponerse al cambio que ha dado su vida sin la ayuda de un buen profesional. No os asustéis, llevarla a un psicólogo infantil no significa que esté mal de la cabeza. De la misma manera que enfermamos físicamente, también podemos enfermar emocionalmente. Y esto es lo que le ocurre a vuestra hija. Os siente tan lejos desde la llegada del benjamín, que ha perdido la ilusión por todo, pero su mal tiene remedio: asistiendo a unas cuantas sesiones con un profesional, no tardará en recuperar la alegría. Pero eso sí, no dejéis pasar más tiempo: cuanto antes contactéis con alguno, mejor pronóstico tendrá la depresión de vuestra pequeña y menos le costará superarla.

? *Luis, de 6 años, tiene muchas pesadillas desde que nació Ana (ahora tiene 2 meses). Durante el día, el niño parece estar tranquilo y bien, pero por la noche se despierta llamándonos a gritos a su padre y a mí. ¿Qué le ocurre?*

Lo que a muchos niños que acaban de tener un hermanito, que tiene celos de la recién llegada a la familia y aunque durante el día, cuando está consciente, puede autocontrolarse, en cuanto se queda dormido por la noche, su miedo a perderos se apodera de él. Pero no os agobiéis: que el pequeño pueda estar bien durante el día es señal de que sus celos no son excesivos. Para que tenga un sueño más tranquilo y reparador, todas las noches cuando ya esté metido en la cama quedaos con él un ratito, leedle un cuento que trate sobre la situación que está viviendo y hacedle ver que aunque estáis muy ocupados con la hermanita, también tenéis tiempo para él. Cuando se despierte gritando, acudid rápidamente a su cuarto, dadle un abrazo y quedaos con él hasta que vuelva a quedarse dormido. Así le demostraréis que estáis pendientes de él y que puede contar con vosotros siempre que os necesite, a pesar de la llegada de su hermana.

? *Andrés, de 5 años, nunca ha sentido celos de su hermana, pero ahora que la niña ha cumplido 18 meses, da muestras de no poder ni verla. Todo lo que hace la pequeña le molesta. ¿Es posible que los celos se le hayan despertado después de tantos meses?*

Por supuesto que sí. A veces ocurre que el hijo mayor no experimenta celos cuando nace su hermanito, pero sí los siente después. Al principio está tan entusiasmado con la llegada del pequeño que parece no importarle que sus padres le presten menos atención. Pero es sólo una apariencia y los celos quedan latentes en él. Así, no es extraño que cuando el bebé llega a la edad de las "gracias" (que es justo la que tiene vuestra hija ahora), y se convierte en el centro de atención de todos, al hijo mayor se le despierten esos celos que no demostró en su momento.

Teniendo esto en cuenta, no es extraño que algún día sorprendáis a vuestro hijo, lleno de rabia, intentando romper las cosas del bebé. No le regañéis, pero puesto que ya tiene edad suficiente para razonar, no se lo permitáis. De esta forma evitaréis que luego, al ver lo que ha hecho, le entren sentimientos de culpa. Para ayudarle a superar sus celos, teniendo en cuenta su edad y el modo de comportarse desde que ha nacido su hermanita, lo mejor es que le alabéis delante de los demás. Esto aumentará su autoestima y le dará seguridad en sí mismo, lo que a su vez disminuirá su temor a que su hermanita os aleje de él y mejorará su relación con la pequeña.

6

Situaciones particulares

Como veis, existen muchas pautas generales para paliar los celos, pero como cada familia es diferente, hemos querido dedicar este capítulo a esas situaciones especiales en las que los padres se encuentran un tanto desconcertados, para indicarles cómo pueden fomentar la buena relación entre ellos.

¿QUIÉN TIENE CELOS DE QUIÉN?

- **Hermanos de familias numerosas:** la aparición de los celos es menos frecuente, puesto que los hermanos comparten todo tipo de experiencias, juguetes, etc.
- **Hijos únicos:** al no tener hermanos, el hijo único puede manifestar celos respecto a algún familiar, amigo o adulto al que relacione con sus padres.
- **Hermanos gemelos:** aunque los celos son menos frecuentes en los gemelos idénticos que en los mellizos, puede que también aparezcan. Intendad tratar a los dos por igual.
- **Hermano mayor-gemelos:** es importante preparar al primogénito antes de la llegada de los bebés.
- **Hermano pequeño-gemelos:** debéis tratarlos a todos por igual, intentar que le dejen participar en los juegos y propiciar la relación del pequeño con cada uno de sus hermanos por separado.

•••

- **Niños adoptados:** puesto que carecen de un modelo a imitar, es frecuente que sientan celos de los hijos biológicos.

- **Celos entre primos:** son frecuentes entre los 2 y los 4 años. La mejor manera de evitarlos es procurar que no toda la familia esté pendiente del bebé.

- **Bebés discapacitados:** la aparición de celos en este caso es muy frecuente, puesto que la atención que los padres prestan al pequeño es mucho mayor. Si el primogénito es ya mayor, intentad explicarle lo que pasa y no le dejéis al margen.

Familias numerosas

Los celos resultan especialmente frecuentes cuando hay dos hermanos en casa, pero cuando se trata de una familia numerosa, son mucho menos habituales. Los niños no están acostumbrados a recibir las atenciones de sus padres en exclusiva y, además, suelen intervenir más personas en su educación (los abuelos, los tíos...), pues los padres precisan que les echen una mano. Esto hace que no les importe tanto el no tener a sus padres a su disposición de manera incondicional. Generalmente también son niños a los que no les importa compartir sus juguetes ni dejárselos prestados a sus amiguitos, porque están habituados a hacerlo con sus hermanos desde que nacieron.

Sí es cierto que en las familias numerosas el benjamín suele estar especialmente mimado por los padres y protegido por todos, y que el hermano que ha sido destronado por él suele mirarle con un poco de recelo. Sin embargo, habitualmente, las relaciones de complicidad que mantiene éste con sus hermanos mayores le ayudan a superar estos celos que en un principio puede sentir hacia el hermano menor.

Hijos únicos, ¿exentos de celos?

Curiosamente, aunque en las familias de un solo hijo el pequeño no tiene con quién compararse, es fácil que desde una edad muy temprana empiece a experimentar sentimientos de celos. ¿Respecto de quién? Respecto de sus primos o incluso de otros adultos a los que sus padres presten atención. Esto es así porque los hijos únicos, desde que nacen, están muy protegidos en casa, algo que les hace ser tremendamente dependientes de los que les rodean, así como muy vulnerables y sensibles ante las actitudes y comportamientos de los demás. Cuando los padres trabajan, la dependencia del niño respecto a ellos se agudiza, pues al volver del trabajo tratan de compensar sus ausencias con mimos, besos y consintiéndole todos sus caprichos, lo que no favorece al pequeño en absoluto.

El hijo único necesita constantemente a sus padres y en cuanto sospecha que van a alejarse de él (para irse al cine, para quedar con sus amigos...), se siente asustado, desvalido y abandonado. Por eso es conveniente que los padres de hijos únicos hagan lo posible por ampliar el círculo social de su hijo, para que el pequeño se habitúe a estar con más gente y no dependa tanto de sus progenitores. Igualmente, ellos deben hacer lo posible por salir y conservar sus amistades. Sin duda, al pequeño va a costarle comprobar que sus padres tienen su propio mundo y sus relaciones particulares, que no se reducen exclusivamente a él, pero esto le ayudará a no depender tanto de ellos y, por tanto, a superar los celos que siente hacia las personas que tratan con sus progenitores.

Hermanos gemelos, ¿pueden experimentar celos entre ellos?

Según asegura la psicóloga infantil Coks Feenstra, especialista en gemelos y autora de *El gran libro de los gemelos* (Ediciones Médici), los niños nacidos de un parto múltiple suelen ser muy buenos amigos: se defienden mutuamente en las peleas con otros niños y forman un frente común ante sus padres, para salirse siempre con la suya. Sin embargo, a veces también surgen celos entre ellos, sobre todo si son mellizos. Y es que los mellizos a veces son muy diferentes de carácter y desarrollo y no es extraño que uno tenga celos de las cualidades y de los avances del otro. En este caso, cuando los niños empiezan la guardería o el colegio, conviene hablar con la dirección del centro, para que los pongan en clases separadas. Así, el niño que tiene un menor nivel intelectual tiene más posibilidades de desarrollar sus propias cualidades, sin sentirse en la obligación de llegar al nivel de su hermano. Esto, generalmente, le ayuda a superar su posible complejo de inferioridad y a mejorar su rendimiento escolar.

En los gemelos idénticos, la aparición de los celos es menos habitual, pero también se da, especialmente si los padres parten un trozo de tarta mayor a uno que a otro, no los visten igual o les hacen regalos diferentes. Para evitarlos, conviene que los padres intenten tratar a los dos de la misma manera, aunque esto, de momento, vaya en detrimento de su individualidad. En este caso conviene dar tiempo al tiempo: en cuanto sean mayores, ellos mismos harán lo posible por defender su independencia (querrán que les vistan de manera diferente, tendrán amigos distintos, no les gustará llevar el mismo peinado...).

Hermano mayor respecto a los gemelos (o mellizos)

En este caso, la psicóloga Coks Feenstra aconseja hacer partícipe al primogénito de la noticia de que va a tener dos hermanitos hacia el quinto mes, una vez que el físico de la madre evidencia su estado, para que la espera se le haga menos pesada. Además, es importante involucrarle en los preparativos para recibir a los bebés, e incluso llevarle alguna vez a la consulta ginecológica con los padres. Escuchar los latidos del corazón de sus hermanitos le encantará.

Además, es conveniente **leer** con él **cuentos** que traten sobre la llegada de un nuevo miembro a la familia. Si no hablan de gemelos, con unos dibujos es fácil adaptar los relatos protagonizados por un solo niño a esta situación.

También sería bueno **visitar** con él **a amigos o familiares que tengan gemelos**, para que se vaya haciendo a la idea de cómo es la vida con dos bebés de la misma edad. Y por supuesto, resulta imprescindible hacer hincapié en que los padres van a estar muy ocupados y no podrán dedicarle tanto tiempo, dejando claro que no por ello van a quererle menos.

Poco antes del nacimiento de los niños hay que **contarle lo que va a ocurrir**: el ingreso de la madre en el hospital, quién va a cuidar de él... Si durante los días de ausencia de la madre va a quedarse en casa de algún familiar, conviene llevarle allí de vez en cuando, antes de que nazcan los niños. Así, los días que pase allí se sentirá casi como en su casa y no se desconcertará.

Una vez que nazcan los bebés, habrá que **tener mucha paciencia** con él y darle tiempo para habituarse a la nueva situación. Aceptar que sus padres ya no puedan prestarle tanta atención como antes y compartir con dos pequeños intrusos todas sus cosas no es fácil, y es natural que precise un período de adaptación en el que se muestre más sensible que de costumbre. Poco a poco, a medida que los vaya conociendo, los irá queriendo más, hasta no poder pasar sin ellos.

Participar en los cuidados de los pequeños le ayudará a establecer vínculos más fuertes con ellos. Pero cuidado: si es mayor de 6 ó 7 años, no conviene encargarle demasiadas tareas relativas a los niños, ya que se podría agobiar y esto, a su vez, podría ocasionarle sentimientos negativos hacia los pequeños.

Como siempre que llega un nuevo bebé a casa, es fundamental sacar un tiempo diario, aunque sea muy escaso, para dedicarlo en exclusiva al primogénito. Ésta es una medida fundamental para que disminuyan sus celos. Además, que el pequeño vea que algunas situaciones de su vida anterior se mantienen, le ayudará a sentirse más seguro en su ambiente y a confiar más tanto en sí mismo como en sus padres (el cuento de "buenas noches", ir con su padre a comprar el pan los domingos...). Por supuesto, también es bueno **otorgarle algunos privilegios** por ser el mayor, tales como quedarse un ratito en el salón a solas con los papás, antes de acostarse, una vez que los pequeños ya están dormidos. Esto disminuirá un poco su pena por tener que compartir a sus padres durante todo el día.

Durante las tomas, que es cuando la madre estará más atareada, no es extraño que reclame su atención más que en ningún otro momento. Para evitar trifulcas y regaños con él, conviene **buscarle juegos y actividades** que pueda hacer al lado de la madre, hasta que termine de alimentar a los pequeños.

Con la ayuda de sus progenitores y dando tiempo al tiempo, el primogénito irá descubriendo las ventajas de haber tenido dos hermanitos de golpe, entre ellas, disponer siempre de alguien con quien jugar y tener dos fieles admiradores a los que enseñar múltiples cosas a diario.

Hermano pequeño respecto a los gemelos (o mellizos)

Tal y como explica Coks Feenstra, esta situación es más llevadera que la anterior, puesto que el hijo menor está habituado a sus hermanos desde que nació. Sin embargo, si los gemelos acaparan la atención de los adultos dentro y fuera de casa, sí es fácil que el benjamín de la familia acabe experimentando celos con respecto a ellos. En este caso, los padres deben hacer un esfuerzo para tratar a todos los niños por igual, tal y como exija su personalidad, evitando hacer más caso a los gemelos por el simple hecho de dar ese aspecto tan simpático, al ir juntos a todas partes.

Otro problema muy habitual en esta situación es que los gemelos no dejen participar a su hermanito en sus juegos, por ser demasiado pequeño. Ante este hecho, que suele provocar que el benjamín se deshaga en un mar de lágrimas inconsolable, conviene que los padres ideen juegos en los que puedan intervenir los tres niños juntos. También es buena idea que uno de los progenitores se lleve a un gemelo de paseo o le anime a quedarse en casa de un amiguito, mientras el otro se queda en casa. Esto propiciará la relación del benjamín con cada uno de sus hermanos mayores y mejorará la relación entre los tres niños.

Con respecto al benjamín, el aspecto más positivo de esta situación es que en cuanto los gemelos tengan la edad suficiente para entretenerse solos, los padres dispondrán de mucho más tiempo libre para dedicárselo exclusivamente a él.

Niños adoptados

Cuando son mayorcitos pueden experimentar celos de los hijos biológicos, sobre todo si han sido mal atendidos por sus padres naturales o no se han sentido queridos en los centros de acogida. Por eso, ahora que se ven formando parte de una familia, desean que toda la atención de los padres sea para ellos. Diferentes estudios demuestran que cuanto menor es el niño adoptado, menores son las posibilidades de que con el tiempo acabe sintiéndose celoso de sus hermanos. Gracias a otros estudios realizados con niños adoptados, también sabemos que la separación demasiado temprana del padre hace a los niños más vulnerables a los celos que la separación precoz de la madre. Esto se explica porque tal y como está constituida nuestra sociedad actual, es más fácil encontrar una figura sustitutiva de la figura de la madre

que de la del padre. En caso de que el niño adoptado sea un varón, es posible que además de los celos
también experimente problemas de identidad, ya
que conocer y acercarse a un hombre que sustituya
la figura de su padre le será más difícil y, al carecer
de un modelo de su mismo sexo en quien fijarse,
puede sufrir crisis de identidad. Por supuesto, con el
tiempo, a medida que el pequeño se vaya sintiendo
cada vez más integrado en su nueva familia, estos pe-
ríodos de desconcierto y de "no saber a quién parecerse" desaparecerán.

Celos entre primos

También son habituales, especialmente cuando los niños tienen entre 2 y 4 años. A partir de esta edad, los
pequeños se dan cuenta de que es un placer jugar juntos y empiezan a llevarse bastante mejor, e incluso piden a sus padres que les lleven a casa de los tíos, para
jugar con sus primitos.

Para prevenir los celos entre primos, hay que evitar que en las reuniones familiares los padres y los
abuelos estén todos al mismo tiempo pendientes
del bebé (sin darnos cuenta, a veces lo hacemos).
Mientras los padres se encargan de procurar a su pequeño las atenciones que necesita, la abuela debe
aprovechar estos momentos para dedicárselos al
primo mayor. O al contrario, mientras ella se encar-
ga del recién nacido, los padres del bebé deben

aprovechar la ayuda y centrarse en su sobrino, que hasta ahora ha sido su ojito derecho, o el abuelo debe dedicarse a entretenerle en estos momentos en los que siente que ha dejado de ser importante para su familia más directa.

Bebés discapacitados

Si siempre que llega un nuevo miembro a la familia el hermano mayor se siente desplazado al comprobar que sus padres tienen mucho menos tiempo para él, mucho más destronado se siente si el recién nacido llega al mundo con alguna discapacidad. Es natural, ya que en este caso los padres, hasta aceptar y ser conscientes de lo que le ocurre a su pequeño y hasta que dan con los especialistas adecuados para ponerle en tratamiento cuanto antes, no tienen tiempo, ni fuerza, ni ganas para nada ni para nadie más. Ante esta situación de caos, desconcierto y dolor, es normal que el primogénito experimente celos de considerable intensidad. En este caso los padres deberán hacer un esfuerzo sobrehumano para intentar sobreponerse a su angustia y evitar que su primogénito se sienta tan abandonado, ya que esto sólo llevaría a complicar las cosas aún más.

Si el niño tiene menos de 3 años, deben intentar seguir las pautas que hemos recomendado anteriormente para chiquillos de esta edad, porque aún es demasiado pequeño para entender qué le ha ocurrido a su familia. Sin embargo, si tiene entre 4 y 7 años, deben intentar darle una explicación, para evitar que él mismo se cree ideas falsas en su cabeza. Si los padres disimulan y tratan de aparentar que todo va bien, el niño se dará cuenta de que algo "raro" está sucediendo en su casa y pensará que no le quieren hacer partícipe de los acontecimientos familiares, lo que aumentará su malestar. En este caso, lo más adecuado es que los dos padres se dirijan al niño, en un ratito de tranquilidad, y le cuenten con palabras muy sencillas y de la manera más natural que puedan que su hermano es "diferente" (conviene emplear esta palabra mejor que "tiene algo malo", porque el pequeño puede asustarse y pensar que su hermanito está muy enfermo o se va a morir). Deben decirle también que le va a costar mucho más que a él aprender las cosas y que necesitará ayuda para todo, pero no sólo la de papá y mamá, sino la suya también. De esta forma el pequeño, aunque puede tardar un tiempo en asimilar la noticia y no se dará cuenta de lo que conlleva hasta que sea más mayor, se sentirá uno más de la familia y no vivirá la dedicación de sus padres hacia su hermano como un abandono con respecto a él. Es aconsejable que los padres sostengan al bebé en brazos mientras se sinceran con su hijo mayor, porque esto le hará sentir aún más la unión familiar. Por el contrario, no es bueno desbordarle por ahora con demasiados datos. A medida que se vaya haciendo mayor ya se dará cuenta por sí solo de la situación en la que se encuentra inmiscuido.

7

¿Qué han hecho otros padres para paliar los celos de sus hijos?

En el contacto constante con padres de niños pequeños se puede comprobar que son capaces de cualquier cosa, con tal de conseguir que sus pequeños sean felices: desde montar todas las noches un safari con el pequeño a cuestas, para cazar al monstruo que está escondido debajo de su cama y le impide dormir, hasta disfrazarse cada día de algo diferente para amenizarle la comida y convencerle así de que se termine su plato, pasando por meterse en la bañera vestidos, para quitarles el miedo al agua, dar fiestas en casa con un montón de niños para ayudarles a vencer la timidez o convertir su cuarto en un auténtico jardín de infancia para hacerles más llevadera su convalecencia.

Junto a todas estas originales artimañas, las que utilizan para ayudar a los hermanos a superar los celos también son de lo más ocurrentes y originales. A continuación recopilamos los ejemplos más simpáticos y eficaces. ¿Por qué no los lleváis a la práctica con vuestros hijos? Tal vez así les ayudéis a llevarse mejor.

Los regalos, para los dos

"Para que mi hija mayor no tuviera celos de su hermanito, cada vez que las visitas venían con algo de ropita

*para él, establecí un pacto con ella: una vez que las pren-
das se le quedaran pequeñas, el bebé se las "regalaría" a
ella, para que vistiera a sus muñecos. Desde entonces,
ejercer de hermana mayor ya no le resulta tan difícil".*

María (Zaragoza)

¡Prohibido jugar juntos!

*"Cuando mis hijos se pelean, mando a cada uno a una
esquina de la habitación y les prohíbo mirarse, dirigirse
la palabra o jugar juntos. Y esto es algo que no pueden
resistir. En cuanto me doy la vuelta, hacen las paces y
comienzan a hacerse gestos, a cuchichear y a idear en-
tretenimientos nuevos, aunque eso sí, procurando que
yo no los vea".*

Darío (Madrid)

Una camiseta de hermano mayor

*"Cuando nació Paula, Pablo estaba desesperado: no
quería comer, lloraba durante el baño, se negaba a salir de paseo, estaba todo el día pegado a mis faldas... Menos mal que se me ocurrió hacerle una camiseta donde
ponía en letras enormes "SOY EL HERMANO MAYOR".
Pasó una buena temporada con ella puesta y como a las
visitas y a los vecinos con los que nos encontrábamos por
la calle les llamaba mucho la atención, lo primero que
hacían al vernos, en lugar de acercarse a la pequeña o
preguntarme directamente por ella, era preguntar a Pablo qué tal se sentía en su nuevo papel. Así Pablo siguió*

siendo el protagonista de la familia y esto le ayudó a aceptar de mejor grado a su nueva hermanita".

Gloria (Toledo)

¡Que decida el azar!

"Cuando mis hijos se pegan por coger la golosina más grande de la bolsa, juego a "la china" con ellos: me guardo una piedrecita en una mano, sin que ellos me vean, y les pido que cada uno se agarre a una de ellas. El que me coge la mano "llena" es el primero en elegir. De esta forma, siendo el azar quien decide la suerte, toleran mejor que uno elija después que el otro".

Rosario (Orense)

Tú serás mi ayudante

"La mejor solución para erradicar los celos de Olga cuando nació Luis fue convertirla en mi ayudante: si tocaba cambiar al bebé, ella tenía que traerme el pañal; si había que bañarle, ella debía echar el jabón en el agua de la bañera; cuando llegaba la hora de dormirle, ella tenía que cantarle la nana; cuando nos íbamos de paseo, ella se encargaba de empujar el cochecito... Además, a estas sencillas tareas se unieron unos cuantos pequeños privilegios por ser la mayor, tales como acostarse un ratito más tarde, cenar a la misma hora que nosotros, ir al cine con su padre y conmigo... Creo que todo esto le ayudó a aceptar su nuevo papel en la familia".

Ana (Valencia)

Si quiere volver a usar el "bibe"

"Mi hija mayor quería volver a utilizar el biberón, como su hermanita. Afortunadamente, le quité la idea de la cabeza sin demasiado esfuerzo. ¿Sabéis cómo? Utilizando el vasito para dar una forma bonita al arroz blanco, al puré de patata y a los flanes que le preparo. Le he explicado que este uso menos conocido del biberón es exclusivo para los hermanos mayores, y desde entonces parece estar mucho menos celosa".

Gema (Cádiz)

El juguete castigado a un rincón

"Conseguí que mis hijos aprendieran a compartir sus cosas de una manera muy sencilla: cada vez que se pegaban por un juguete, en vez de enfadarme con ellos o castigarlos, "castigaba" al juguete encerrándolo en una habitación o dejándolo en un rincón de mi dormitorio y prohibía a los dos terminantemente que lo cogieran. En cuanto lo puse en práctica un par de veces, los niños se dieron cuenta de que compartir conlleva muchas más ventajas de las que en un principio pensaban".

Juanjo (Burgos)

¡Qué manera de hacerse notar!

"A pesar de la llegada del bebé, Eduardo ha seguido haciéndose notar en casa, pero lo cierto es que desde que le permito este pequeño privilegio que voy a con-

taros ahora está superando mucho mejor la llegada de su hermanito. Cuando llegaba la hora de cenar, hasta ahora llamaba a mi "tropa" con un "niños, a cenar". Pero desde que nació Alberto he tenido que cambiar la frase por "¡niños y Eduardo, a cenar!". Y el caso es que ahora Eduardo está mucho más dócil, más amable y contento y menos llorón".

Luisa (Orense)

Tú también fuiste pequeñito

"Nuestro hijo mayor tiene muchos celos del bebé. Si al vuestro le ocurre lo mismo, probad a enmarcar sus primeros patucos, colgadlos en su dormitorio y aprovechad este momento para explicarle que cuando él nació, le dedicábais tantas atenciones y mimos como hacéis ahora con el pequeño. Así, cada vez que vea este regalo vuestro en su cuarto, se acordará de lo que le habéis contado y no le importará tanto que estéis tan pendientes del nuevo miembro de la familia ni que le dediquéis tanto tiempo".

Rosalía (La Coruña)

La solución: jugar por turnos

"Mis niños, de 3 y 4 años, siempre se han llevado bien, pero ahora han empezado a tener celos el uno del otro y a llevarse bastante peor. En cuanto uno coge algo, al otro también se le antoja y acaban enzarzados en una pelea. Cuando les oigo reñir por un juguete, como ya sé lo que

va a pasar, cojo un despertador enorme que tienen en su cuarto y les dejo muy clarito que o juegan por turnos con el juguete, o lo escondo hasta el día siguiente. Generalmente aceptan la primera opción. Así que doy el juguete a uno de ellos, pongo el despertador en marcha para que suene 10 minutos después y pasado este tiempo, vuelvo a ponerlo en marcha para que juegue el otro".

Mónica (Alicante)

Madre y árbitro en la vida

"Mis hijas discuten por las cosas más insignificantes: por elegir a qué jugar, por ser las primeras en tirar los dados en un juego, por quedarse con la golosina más grande... Para evitar sus trifulcas, he decidido hacer de árbitro entre las dos y tratar de ser lo más justa posible: si una decide a qué jugar, la otra debe empezar el juego; si una me dice qué le apetece de comida, la otra puede elegir el postre; si un fin de semana se hace lo que una quiere, al siguiente se hace lo que quiere la otra... De esta manera, intentando mediar entre ellas con el mayor tiento posible, parece que han dejado de discutir tanto".

Romina (Toledo)

Chivarse de algo bueno

"Tengo tres hijas con edades comprendidas entre los 3 y los 5 años. Hace unas semanas les dio un ataque de celos (curiosamente, a las tres a la vez) y para ganarse mi afecto, cada una se chivaba de las palabrotas, las trave-

*suras y las desobediencias de sus hermanas. Para erra-
dicar esta costumbre, que siempre me ha parecido feísi-
ma, adopté la siguiente actitud: cada vez que una de las
niñas se me acercaba para acusar a sus hermanas, la
escuchaba pacientemente, pero a continuación le pedía
que me dijera algo bueno de ellas. Al final las dos ter-
minábamos riéndonos y la pequeña olvidaba su primera intención y se quedaba pensando en lo maravillosas
y lo estupendas que eran sus hermanas".*

Sofía (Orense)

Si os pegáis, a mí ¡plin!

*"A mis hijos les encanta pegarse... aunque estoy compro-
bando que cada vez menos. Como estaba harta de sus
peleas constantes y ya no sabía qué hacer, un día que ya
no podía más, en lugar de hacerles caso, se me ocurrió
colgar un cartel en la puerta de su habitación donde ponía: "¡no pasar, niños peleándose!". Se quedaron atóni-
tos ante mi reacción y al ver que no les hice ni caso, de-
jaron de pegarse. Desde entonces, ya sé cómo conseguir
que se tranquilicen. ¿Será posible que lo único que qui-
sieran con sus trifulcas fuera llamar la atención?"*

Margarita (Toledo)

La clave está en prevenir

*"En cuanto veo que mi hijo pequeño está haciendo al-
go que al mayor le molesta, lo que hago para que éste
no se enfade es llamarle a gritos diciéndole: "Juan, co-*

101

rre, ven, que necesito tu ayuda". Es un modo estupendo de evitar una posible pelea y de fortalecer el ego de nuestro primogénito, que desde que nació el bebé tiene un poco bajo".

Juan (Ciudad Real)

¡A limpiar cristales!

"He encontrado el modo perfecto de convertir los tirones de pelos de mis hijas en amplias sonrisas. Cuando se enfadan o se pelean, cojo el limpiacristales y rocío las dos caras de la puerta del tendedero, pongo a cada una en un lado, les doy un trapo seco y las castigo "a limpiar". Ponedlo en práctica con vuestros pequeños. Ya veréis como antes de que el cristal esté completamente seco, procuran hacer las paces y pasan de reñir a disfrutar juntas de algún otro juego".

Lucía (Madrid)

Enfadarse cantando, ¡qué divertido!

"La manera de discutir de mis hijos es ponerse a gritar. Según sus criterios, gana quien dé las voces más altas... Y el caso es que yo me vuelvo loca. Una amiga de mi marido nos sugirió que en cuanto los niños comenzaran a gritar, acudiéramos a su lado y les animáramos a hacer lo mismo, pero cantando. El resultado es fenomenal: de la risa que les entra, no pueden articular palabra y, desde luego, el enfado se les olvida".

Antonia (León)

Un regalo para ella y un detalle para él

"Mi hijo mayor, Carlos, que tiene 5 años, lo estaba pasando fatal por la llegada de su hermana Eva. Cada vez que llegaba una visita con un regalo para la niña, se ponía a llorar con una pena... Para facilitarle la aceptación de la pequeña, lo que he hecho ha sido hablar con nuestros familiares y pedirles que además de regalar algo a Eva, también traigan un pequeño detalle para Carlos. No hace falta que se gasten dinero: unos cromos, unas pegatinas o un bloc para pintar es suficiente para demostrar al niño que continúan queriéndole y evitar que se lleve un berrinche".

Lorena (Sevilla)

De patucos a bolsitos

"El otro día se me ocurrió convertir los patucos que ya no sirven a mi bebé en bolsitos y monederos para que mi hija mayor guarde sus caramelos, sus monedas y sus cromos. La niña se puso contentísima y desde entonces se está mostrando mucho más cariñosa y amable con el pequeño".

Ana (Lugo)

Dedicadle dos tardes a la semana

"Para no descuidar a Laura, nuestra hija mayor que tiene 4 años, me he puesto de acuerdo con mi marido para que dos tardes a la semana vayamos con ella a me-

103

rendar a una cafetería, al cine, a los columpios o a cualquier sitio que a la pequeña le apetezca. Al bebé le dejamos con alguna de las abuelas, por lo que no tenemos que estar pendientes de la hora para volver pronto a casa. Desde que ponemos en práctica este sistema, la niña está mucho más contenta, duerme mejor, se muestra más cariñosa con nosotros y parece querer más a su hermanito. ¿Creéis que es una buena idea para ayudar a vuestro hijo mayor a paliar sus celos?"

Laura (Madrid)

¡A la cama grande!

"Para que Juan no llorara todas las noches al irse a acostar (le cuesta entender que Julia duerma con nosotros y a él no le dejemos hacerlo), opté por dejar que se metiera conmigo en la cama grande un ratito, hasta que le entrara sueño. Una vez que se adormila, le llevo a su cuarto y le doy un beso de buenas noches (es entonces cuando me levanto para cenar con mi marido). Consentirle este pequeño capricho le ayuda a quedarse dormido más tranquilo y desde que se lo permito, ya no le duele tanto que la niña pase toda la noche con nosotros".

Emilia (Burgos)

Un álbum para cada uno

"Cada vez que Antonio me veía colocar las fotos en el álbum de recién nacido de su hermanito, o se enrabie-

taba o se ponía muy triste. Para que no lo pasara tan mal, decidí comprarle un álbum precioso a él también, donde había páginas dedicadas al juego, otras al sueño, otras a las celebraciones familiares... Desde entonces, cada vez que sacaba una foto a mi hijo pequeño, procuraba sacar también otra al mayor. Y ahora disfrutamos mucho los dos juntos, colocando las fotos en los dos álbumes. Además, a Antonio han empezado a gustarle tanto las fotos de su hermanito, que de vez en cuando se lleva algunas a clase, para enseñárselas a sus compañeros".

Alicia (Badajoz)

Los "malos humos", a la basura

"Ayudar a mi hija Nuria a desahogarse cuando Isabel, su hermana pequeña, le rompe sus juguetes o dibujos, ha sido la mejor solución para que dejara de tener tanta manía a la benjamina. ¿Qué cómo lo hago? Escribo en una hoja todo lo que ella me dice: "Mi hermanita es tonta", "¡ojalá se fuera a vivir con la abuela!", "¡no pienso dejarle nada de lo que me pida ni ahora ni cuando sea mayor!". Cuando ya no se le ocurre nada más que decirme, le doy la hoja para que la rompa con toda la furia que quiera y una vez que la ha hecho añicos, tire todos los papelitos a la basura. El caso es que así, de alguna manera la niña se deshace de sus malos sentimientos, se le pasa el disgusto y se queda mucho más tranquila".

Obdulia (Toledo)

8

Algunas curiosidades

Experimentar celos
es positivo

El Dr. Paulino Castells, especialista en pediatría y autor de la *Guía práctica de la salud y la psicología del niño* y de *Nuestros hijos y sus problemas*, entre otras muchas obras, afirma que «los celos del hermanito pueden ser una experiencia perfectamente constructiva para el niño. Que lo sean o no depende de la actitud de los padres». Por su parte, Winnicott, uno de los pediatras y psicoanalistas actuales más importantes, autor de obras como *Conozca a su niño* y *Los bebés y sus madres*, también apunta esta misma idea y asegura que los celos, siempre y cuando el pequeño logre exteriorizarlos y superarlos con la ayuda de sus padres, son positivos para él por varios motivos.

En primer lugar, porque el hecho de que el pequeño pueda experimentarlos es la muestra más factible de que tiene **capacidad para amar**, lo que a su vez indica que es un ser sociable que va a poder entablar amistades y relaciones íntimas con los demás.

En segundo lugar, porque es una prueba que le lleva a **intentar defender lo que es suyo**, un entrenamiento que en el futuro le vendrá muy bien para protegerse de la gente que quiere ascender y progresar a costa de lo que sea.

Para el niño, demostrar los celos es un modo de llamar la atención, de decir a los padres que necesita sentirlos más cerca. En otras palabras, es una manera de **pedir ayuda**, algo que a muchas personas les resulta imposible, porque lo consideran como una forma de rebajarse ante los demás, lo que es un grave error. Todos necesitamos de todos.

Sentir celos y demostrarlos también da al pequeño la oportunidad de comprobar que le quieren, lo que a su vez le ayuda a afianzarse en sí mismo y **a ganar autoconfianza y seguridad**.

El sentimiento de celos incita al niño a **superarse**, a salir adelante de los baches y dificultades con las que puede encontrarse y a hacerse valer ante los demás.

Resumiendo, sentir y superar los celos facilita al niño su **maduración**, pues además de todo lo dicho, es algo que le ayuda a conocerse mejor a sí mismo, a diferenciarse de los demás, a interiorizar y a asimilar las normas sociales y de convivencia... Aunque eso sí, a base de pasarlo mal durante una temporada y hacérselo pasar bastante mal a sus padres. Pero al fin y al cabo, ¿qué cosas de las que merecen la pena se consiguen sin esfuerzo?

Los niños son más celosos que las niñas

Curiosamente y aunque de adultos ocurre lo contrario (las mujeres son más celosas que los hombres), durante la infancia, los niños se ven afectados por problemas de celos más a menudo que las niñas. Esto se explica por diferentes razones. La primera, que la relación que mantienen las niñas con su madre es más homogénea, más de igual a igual, y está sujeta a menos cambios que la que establecen los niños, que es más proclive a ellos.

Por otro lado, las niñas tienden a identificarse más con su madre que los niños, y esto las lleva a adoptar un comportamiento más maternal y afectivo con el hermanito que los niños, que ven la llegada del bebé como una usurpación. Además, al no poder identificarse plenamente con su madre, a ellos les resulta más difícil adoptar su misma conducta.

También ocurre que cuando las niñas se muestran celosas, como en general les cuesta menos expresar sus sentimientos, ponen a sus padres en sobreaviso de que necesitan más atención, y esto es algo que les facilita mucho las cosas y les ayuda a superar su malestar mucho más deprisa y con menos dificultades.

Los celos no son sinónimo de rivalidad ni de envidia

La rivalidad entre hermanos es una actitud, un comportamiento temporal, periódico, no algo constante. Todos sabéis por vuestra propia experiencia que hay etapas en las que vuestros hijos se llevan estupendamente y otras en las que no se pueden ni ver y os veis en la necesidad de mediar entre ellos. La rivalidad no debe identificarse con los celos porque no expresa miedo por perder el cariño de alguien muy preciado, sino afán de superación y de demostrar que se es mejor que otro. En el caso de la rivalidad fraternal, lo que sí relaciona este comportamiento con los celos es que cada hermano trata de superar al otro para asegurarse el afecto de los padres, que ahora ven amenazado.

La envidia tampoco debe identificarse con los celos. Como ya hemos dicho, los celos se producen por miedo a perder el afecto de una persona, mientras que la envidia es el deseo de poseer lo que tienen los otros, por lo que es evidente que tampoco es sinónimo de la rivalidad.

El bebé puede tener celos del padre

Es frecuente que el pequeño tenga celos de su padre. Hasta aproximadamente los 18 meses, al niño sólo le interesa la relación que él entabla con cada una de las personas de su entorno, pero aún no es consciente de las relaciones que establecen ellas entre sí. Pasado el año y medio, el niño empieza a percatarse de que los que le rodean también se quieren, se hacen compañía, se llevan mejor o peor... Y no puede evitar que le irrite bastante comprobar que su madre mantiene relaciones habituales con otros, además de con él. Es por ello por lo que cuando ve que su padre la besa o le hace un mimo, intenta desviar su atención hacia otra cosa, o incluso a veces se sienta en medio de los dos, para separarlos. En su fuero interno, él desea ser suficiente para su madre, colmarla por completo, llenarla plenamente, y darse cuenta de que ella también necesita a su padre le supone una dolorosa frustración. Por eso llora, se agita o hace alguna "trastada" en cuanto los ve juntos. Durante un tiempo, es posible que el pequeño se muestre un tanto arisco con su padre, pues le considera como un rival que le está "robando" a su madre. Pasar y superar esta fase ayuda al niño a confiar más en sí mismo y a situarse mejor en su ambiente familiar. De hecho, los psicólogos consideran a esta etapa del crecimiento un período fundamental para la formación de la personalidad del niño.

La mejor manera de actuar con el pequeño en esta etapa de celos hacia el padre es explicarle con palabras muy sencillas, adecuadas a su nivel de madurez y comprensión, que el que la madre quiera al padre no implica que deje de quererle a él, y que de igual forma que él necesita a sus padres, a sus abuelos y a sus tíos, su madre también precisa el amor de más gente, no sólo el suyo. A medida que pase el tiempo el pequeño irá asimilando y aceptando mejor este hecho, que es completamente natural, y no sólo no le importará que sus padres se besen, sino que le encantará que lo hagan, e incluso si alguna vez presencia alguna discusión entre ellos, se llevará un gran disgusto.

El padre puede sentir celos del bebé

Puede parecer increíble que el padre sienta celos del pequeño, pero es algo que sucede bastante más a menudo de lo que en principio podríamos pensar. En realidad, el padre no siente celos del bebé, sino de la relación tan íntima que mantienen su mujer y el pequeño, que son las personas a las que más quiere, y de la que se siente excluido. Esta situación se acentúa en caso de que el padre sea una persona muy inmadura y necesite que le presten atención constante, algo que su mujer ahora mismo no puede hacer. Puede darse también si la madre es una mujer muy acaparadora, que dedica las 24 horas del día a su niño. Sin darse cuenta ha dejado de atender a su marido y no le permite participar en las tareas del bebé (su argumento es: *"deja, que yo lo hago mejor"*).

Si la relación de la pareja no ha sido nunca demasiado buena pueden también agudizarse los celos del padre, ya que ninguno de los dos están acostumbrados a hablar de sus sentimientos. Tras el nacimiento del bebé, el padre no hará saber a la madre que no se siente bien, lo que acrecentará su malestar.

En este caso, resulta imprescindible que la nueva mamá reflexione sobre la actitud que ha adoptado desde el nacimiento del pequeño. Si efectivamente ha impedido "meter baza" a su pareja y además ha dejado de prestarle atención, tiene la solución en su mano: a partir de entonces debe intentar delegar en él ciertos cuidados del bebé (bañarle por la noche, por ejemplo), pedirle ayuda más a menudo (con un poco de práctica, los hombres acaban haciendo bien todo lo que habitualmente hacen las madres instintivamente) y recordarle que pese a sus nuevas responsabilidades, que acaparan casi todo su tiempo, le sigue queriendo y necesitando incluso más que antes. Así, el padre se sentirá más partícipe del gran acontecimiento familiar, dejará de sentir tantos celos y la madre tendrá más tiempo para dedicárselo a ella misma y a su pareja.

Además, es imprescindible que todos los días, los nuevos padres saquen tiempo para hablar de sus sentimientos, de sus emociones, de lo que están experimentando al enfrentarse a su nuevos papeles... Pasar de ser dos a ser tres es un cambio muy grande y como todo cambio conlleva un período de transición, de crisis... La suerte de esta situación, frente a otras muchas, es que cada miembro de la pareja puede apoyarse en el otro, lo que facilita mucho las cosas.

La madre puede tener celos de la niñera

Tal vez seas una de las muchas madres que han decidido dejar a su bebé en casa, en manos de una persona de confianza, mientras estás trabajando. Es una buena opción: el bebé está en manos de una experta, se queda en su ambiente habitual, no hay que levantarlo temprano ni desplazarlo a horas intempestivas para él... Sin embargo, no estás tranquila del todo y hay una idea que te ronda la cabeza: *"¿es posible que el pequeño acabe prefiriendo estar con ella que conmigo?"*.

No te sientas extraña por pensar de esta manera (a la mayoría de las madres que se encuentran en tu situación se les pasa esta idea por la cabeza) y ten la absoluta seguridad de que tus celos, que son fruto de la inseguridad, son perfectamente comprensibles. Por un lado, deseas estar con tu hijo y dedicarle todo tu tiempo pero, por otro, necesitas o te apetece trabajar. Ante estos sentimientos tan contradictorios, lo mejor es que trates de mantener la calma, que no te sientas culpable por volver al trabajo (haber sido madre no significa dejar de ser tú) y que trates de analizar las cosas por separado.

En primer lugar, **céntrate en tu hijo** y piensa que tener a su lado a una persona de confianza que le quiera y que le atienda tan bien como tú es algo que le beneficia en todos los aspectos (le hace sentirse amado y acompañado, le da seguridad, le hace estar tranquilo, le ayuda a sentirse confiado en su ambiente...). Además, es fundamental que dependa de alguien, ya que es a través de sus primeras dependencias como aprende a hacerse independiente. Por ello es importantísimo que se sienta bien con su cuidadora, que la quiera y que se encariñe con ella. Así, además de las ventajas citadas anteriormente, tus ausencias se le harán mucho más llevaderas.

En cuanto a ti, convéncete de que por muchas horas al día que el pequeño pase con su cuidadora, tú sigues siendo la persona más importante para él (igual que te ocurre a ti, a él tampoco se le pueden olvidar los 9 meses que pasó en tu vientre). **Vuestro vínculo**, que empezó en el embarazo, **es único**, exclusivo e irremplazable. No te quepa la menor duda de que tu hijo os distingue muy bien a las dos y sabe perfectamente que tú eres su madre. De todos modos, para que no te sientas mal cuando los veas reírse juntos o abrazarse con cariño, sigue estas recomendaciones:

Convéncete de que todas las madres que están pasando por una situación similar a la tuya experimentan los mismos celos respecto a la niñera de su hijo que los que ahora estás sintiendo tú.

Piensa en lo beneficioso que es para tu hijo disponer de alguien tan cercano en quien pueda confiar plenamente, además de teneros a su padre y a ti. Cuantas más relaciones positivas mantenga, mejor imagen se creará de sí mismo (es como si pensara *"si me quieren, será que me lo merezco"*) y más sociable se hará.

Valora el trabajo y la dedicación que la niñera dedica a tu pequeño: sus juegos y su manera de tratarle, de cogerle y hablarle, que serán diferentes a los tuyos, enriquecerán su personalidad en todos sus aspectos.

Haz lo posible por **considerar a la canguro como una amiga**, como una ayudante que está intentando dar lo mejor de sí misma a tu hijo cuando tú no estás, no como una rival que pretende usurpar tu puesto de madre.

Si ella vive momentos que te hubiera gustado presenciar, como la primera palabra de tu hijo o su primer paso, no la culpes de nada. Son las circunstancias, y no ella, las que han hecho que las cosas transcurran de esta manera.

Estáte preparada para vivir una situación que seguramente te disgustará mucho. Si al volver a casa del trabajo tu hijo te ignora, no te mira y parece que está enfadado contigo, no te extrañes y procura no sentirte dolida. Es su forma de decirte que te ha echado mucho de menos y necesita desahogarse de alguna manera. Quédate a su lado sin ponerle malas caras ni hacerle mimos, acércale su juguete favorito y espera a que el "enfado" se le pase. Cuando empiece a adoptar su comportamiento habitual contigo, inicia alguna de sus actividades favoritas. Verás cómo de esta manera rompes el hielo producido por tu larga ausencia.

No te sientas mal si tu hijo llora cuando se va la canguro y la recibe con una alegría inmensa y con los brazos abiertos. Esto, lejos de ser algo que deba preocuparte, es la mejor señal de que se siente a gusto y en buenas manos cuando tú te vas.

No te obsesiones pensando que debes cambiar de niñera. El problema está en ti, no en ella. Lo más seguro es que si lo haces, tu hijo se encariñe también con la siguiente y entonces, ¿buscarás otra de nuevo?

En cualquier caso, y sea cual sea la reacción de tu hijo cuando vuelvas a casa, **dedícale un buen rato en exclusiva**. Comprobar que se ríe contigo, que te abraza y que se muestra encantado de verte (aunque es posible que tarde en demostrártelo) hará que te sientas mucho más segura y que dejes de sentir tantos celos de la canguro.

El perro también puede tener celos

Puede darse la circunstancia de que vuestro animal de compañía sienta celos del bebé, ya que los celos no son un sentimiento exclusivamente humano. Si tenéis un perro y estáis esperando un hijo, además de llevar a vuestra mascota al veterinario para prevenir los posibles riesgos sanitarios, debéis pedirle información sobre las pautas de comportamiento que debéis empezar a enseñarle desde ahora, para que cuando nazca el bebé no se sienta celoso.

Si es un perro díscolo y nervioso que no os suele obedecer, debéis empezar a adiestrarle para que lo haga, no es difícil. Cuando le saquéis de paseo a la calle, no le consintáis que tire de la correa ni que vaya delante de vosotros. Esto os evitará posibles sustos cuando salgáis a pasear con el pequeño y con él.

Si duerme en vuestra habitación, habituadle desde ahora a no hacerlo. Cambiar el cesto de habitación una vez que el bebé esté en casa puede hacer que se sienta "destronado" y que asocie la llegada del pequeño con su salida del dormitorio, lo que no es nada conveniente.

Otra buena idea es que compréis una muñeca y que la tratéis como si fuera un bebé (acunadla, haced que le dais de comer, montadla en el cochecito...). De esta forma, al perro no le desconcertarán tanto los nuevos comportamientos que adoptaréis cuando nazca vuestro hijo.

También es adecuado que a partir de ahora procuréis que vuestra mascota tenga un contacto más habitual con niños pequeños (por ejemplo, llevadle al parque una vez haya finalizado el horario escolar). El objetivo de esta medida es que se familiarice con sus lloros y su constante movimiento, para que le cueste menos habituarse a la presencia del recién nacido.

Una vez que mamá dé a luz, mientras aún esté en la clínica, es conveniente que papá se lleve una prenda del niño a casa para que el perro la huela. De este modo se irá familiarizando con su olor y no lo extrañará tanto el día que el pequeño llegue a vuestro hogar.

El día que volváis a casa con vuestro hijo, procurad no entrar con él en brazos. Mejor, llevadlo en el cochecito o que lo coja papá. Teniendo las manos libres, mamá podrá acariciar y abrazar a su mascota, que seguro que la ha echado mucho de menos.

Después de saludarla, mostradle al bebé con toda la naturalidad, para que desde el primer momento lo considere un nuevo miembro de la familia a quien debe querer y proteger.

En adelante, continuad tratándole con mucho afecto, pero enseñadle a respetar los espacios y los objetos reservados exclusivamente para el pequeño. Tal vez sea buena idea instalar una barrera protectora o una puerta bajita de red metálica en vuestro dormitorio.

Algunas mamás recientes, mientras dan de mamar a sus bebés, acarician al perro con el pie, lo que es una buenísima idea.

En cualquier caso, nunca dejéis al animal a solas con el pequeño y si tenéis alguna duda sobre cómo tratar a vuestro perro en esta circunstancia, pedid al veterinario que os dé el teléfono o la dirección de algún gabinete especializado en comportamiento animal. Sus expertos os facilitarán la información que preciséis.

9

Un poco de historia: los celos en otras culturas

Es innegable que los celos son un sentimiento inherente a la condición humana, pero también es cierto que se dan de forma más o menos aguda dependiendo de las tradiciones que se han seguido a lo largo del tiempo y de la manera en que está estructurada la sociedad.

Las observaciones realizadas en diferentes *kibbutzim* (granjas colectivas que hay en **Israel**) resultan de lo más llamativas y sorprendentes: a diferencia de los niños que viven en sociedades de países altamente industrializados, como el nuestro, los pequeños israelíes rivalizan mucho menos con sus hermanos. El porqué de su actitud parece bien claro: están habituados a vivir en una sociedad mucho más extensa y abierta que la nuestra (el concepto de "familia nuclear" prácticamente no existe) y sus relaciones con los parientes más cercanos no son tan íntimas ni estrechas, por lo que no les cuesta tanto compartirlos ni les duele tanto ver que se relacionan con los demás.

También es curioso comprobar que en **Bali**, el destronamiento del hijo mayor se hace de una manera especialmente cruda y dura para los niños. Aunque cueste creerlo, los padres que han tenido otro hijo someten al mayor a burlas durante casi todo un año y en todo este tiempo no dejan de recordarle de diferentes maneras (negándole caprichos, mimando al bebé delante de él...) que ha perdido su privilegiada situación de hijo único en casa. Cuando el niño es único, los padres piden "prestado" un bebé a otra familia durante un tiempo, con el fin de poder educar a su hijo como si hubiera tenido un hermanito. Esto se hace así con la idea de fomentar su independencia, hacerle más autónomo y enseñarle a compartir lo que tiene.

En algunas zonas del **Pacífico**, los sentimientos de celos se dan en un grado especialmente agudo: en vida, los padres sólo otorgan privilegios al primogénito y una vez que fallecen, le dejan todas sus posesiones, incluso aunque el resto de los hijos estén mucho más necesitados que él. Salvo excepciones, las relaciones entre los hermanos son muy malas y su trato se limita a la rivalidad y a la competitividad. Realmente resulta muy difícil sobrevivir en estas sociedades, regidas por los celos y la envidia.

Por el contrario, los **pescadores polinesios** practican un rito de "lucha contra la envidia", que consiste en devolver la pesca al agua si sólo uno de los pescadores ha conseguido algo. Los niños "maman" esta manera de comportarse desde que tienen uso de razón y los conceptos "competitividad" o "rivalidad" no entran en su vocabulario.

Los **indios navajos** de Norteamérica también se habitúan desde pequeñitos a repartir cualquier premio o ganancia que obtienen (hacen una especie de "comuna"), costumbre que continúan practicando de mayores. Aunque esto explica su éxito económico, el principal objetivo de esta forma de funcionar es evitar los celos, la envidia, la competitividad y la rivalidad entre ellos pero, sobre todo, el enfado de los dioses, que repartirían maleficios y castigos entre todos si no se llevan bien o no colaboran para conseguir el bienestar y la felicidad generalizada de la sociedad.

En Canadá, los **indios Dakota** consideran a los hermanos gemelos como una única persona y los tratan exactamente igual desde que nacen hasta que mueren. Creen que ésta es la única manera de paliar los posibles celos entre ellos y además, están convencidos de que si no los tratan así, los dioses se enfadarán con ellos y se llevarán a uno de los dos al reino del más allá.

Los indios de algunas zonas de **Guatemala** también llevan a la práctica un extraño y curioso rito para prevenir los posibles celos ente hermanos: cuando nace un bebé, uno de los padres mata una gallina encima del que le precede en orden de nacimiento: creen que realizando este sacrificio, el animal absorberá y se llevará con él todos los sentimientos negativos que el hecho de ser destronado por el nuevo miembro de la familia puede crear en él.

Otro dato que merece la pena resaltar es que en algunas **tribus de África** está prohibido criticar. Así, cuando un vecino habla mal de otro, todos los demás se ponen en su contra, marcando una línea de separación delante de su casa, para que no les afecte su sentimiento de envidia. Ante este comportamiento de los adultos, es evidente que los niños no van a aprender a criticar, ni a rivalizar ni a sentir envidia de lo que tienen los demás.

Por último, en numerosas tribus de diferentes **selvas** del mundo es habitual educar a los niños para que sean autosuficientes lo antes posible, con el fin de que no dependan de sus padres para nada. Esta forma de educar hace que los pequeños desconozcan lo que es sentir celos de sus hermanos.

10

Cuentos que ayudan a los niños a superar sus celos

Los cuentos son un método terapéutico excelente para ayudar a los niños a vencer sus temores e inseguridades de una manera amena y divertida. Al comprobar que el protagonista de la historia está pasando por una situación similar a la suya, tienden a identificarse con él y, fijándose en sus reacciones y comportamientos, aprenden a salir airosos de la situación conflictiva en la que se encuentran.

Ahora que vuestro hijo ha tenido un hermanito, le vendrá estupendamente que le leáis cuentos que reflejen sus vivencias. A continuación os recomendamos algunos de los que hemos considerado más interesantes, pero podréis encontrar muchos más en la sección infantil de cualquier librería:

Para los más chiquitines
(hasta 6 años)

¿Quién ha robado mi trono?,
de Gabriela Keselman y Anne Decis,
ed. Bruño.

El Príncipe Único no se lo puede creer: sus papás, su doncella, su cocodrilo y hasta su trono han desaparecido. Y lo malo no es sólo eso. Cuando los encuentra, están todos adorando a un nuevo príncipe, que está tumbado en el que hasta ahora ha sido su trono. El Príncipe Único decide marcharse pero... ¡oh, sorpresa! Antes de llegar a la puerta de su castillo encuentra a toda su familia formando un corro alrededor de un trono nuevo, que han comprado exclusivamente para él.

Aunque este cuento está recomendado para niños a partir de los 4 años, tiene unas imágenes lo bastante expresivas como para que, con un poco de ayuda de sus padres, puedan entenderlo niños menores de esta edad.

Siento celos,
de Brian Moses y Mike Gordon,
ed. Edelvives.

Durante sus primeros años, los niños experimentan sentimientos nuevos que les desconciertan y confunden porque aún no saben manejarlos. Así, por ejemplo, cuando se sienten celosos de alguien, se enfadan, se ponen tristes, se enrabietan...

Este cuento contiene notas para los padres y educadores con numerosas sugerencias sobre cómo ayudar a los niños a afrontar este incómodo sentimiento, que tan mal les hace sentir. Explicar a los pequeños el porqué de los celos y qué son, mediante ejemplos sencillos y de una manera divertida y tranquilizadora, es el mejor modo de facilitarles la superación de los mismos.

Weby y los amigos repetidos,
de Matilde Nuri y Joan Subirana,
ed. Beascoa.

Este cuento narra la divertida historia del pequeño Nil, que trata de rodearse de amigos con la ayuda de su ordenador Weby. ¡Menos mal que allí estaba su hermana mayor, Claudia, para enseñarle quiénes son sus amigos de verdad! Sin su ayuda, jamás hubieran podido organizar esa divertidísima fiesta en casa.

El argumento de este cuento no hace refencia a los celos entre hermanos, pero se centra en cómo mejorar las relaciones entre ellos, lo que sin duda es el mejor modo de prevenirlos.

Teo y su hermana,
de Isabel Martí y Violeta Denou,
ed. Timun Mas.

El embarazo, la disposición del cuarto del futuro bebé, el ingreso de la madre en la clínica, la visita al nido, la vuelta a casa con Cleta (la nueva hermanita de Teo), la primera noche de la pequeña, el baño, la fiesta que dan en su honor para celebrar su nacimiento...

Todas estas escenas harán que el pequeño se identifique con Teo y aprenda a tolerar mejor su nueva situación. El cuento incluye una guía didáctica para orientar a los padres y educadores acerca de las explicaciones que deben dar a su primogénito para que acepte al hermanito, al tiempo que estimulan su curiosidad, desarrollan su capacidad de observación y fomentan el interés por la lectura y la expresión en todos sus niveles.

Julius, el rey de la casa,
de Kevin Henkes,
ed. Everest.

En esta divertida historia de celos, la actitud de Lilly hacia su nuevo hermanito, Julius, crea un ambiente "conflictivo" en casa. Sus padres intentan que entre en razón, pero Lilly se niega a cambiar de opinión respecto a su hermanito y adopta una conducta rebelde: se escapa de casa, le molesta que la gente pregunte por su hermano, no quiere que den una fiesta para celebrar el nuevo nacimiento... No hay forma de que la pequeña cambie de opinión, hasta que un día ocurre un hecho inesperado: una prima suya le dice que el bebé es muy feo. Entonces Lilly defiende al pequeño y hasta hace repetir a voz en grito a su prima que Julius es el rey de la casa y que llora y hace burbujitas de saliva mejor que nadie.

Para los más mayorcitos
(a partir de 6 años)

Mi hermana Clara y los caballos,
de Dimiter Inkiow,
ed. Everest.

Este libro pertenece a una serie de cuentos que se irán publicando en breve sobre una pareja de hermanos, niño y niña, en la que es el pequeño quien nos cuenta la historia, que siempre gira entorno a algún asunto que le relaciona con su hermana.

El argumento de este cuento se centra en los caballos y en las clases de equitación, pero también hace alusión a diferentes aspectos de las relaciones familiares, las relaciones chico/chica y las vivencias de los pequeños en cuanto a emociones, conductas, intereses, escala de valores...

La iniciativa, el esfuerzo y la constancia del pequeño narrador son dignas de mención y le ayudan a conseguir, por fin, lo que quiere. La narración, ágil y llena de humor, encantará a los más pequeños.

He decidido llamarme Max,
de Brigitte Smadja y Gabriela Rubio,
ed. Gaviota Junior.

María tiene 7 años. Le encanta ver películas infantiles en la tele, comer raviolis y jugar al Mikado con su padre. María es feliz, hasta que un día a sus padres se les ocurre aumentar la familia... ¡Vaya idea! Todos están contentísimos y se pasan el día eligiendo nombres para el bebé. Todos menos ella, que cree que sus padres ya no la quieren tanto como antes. Entonces, la protagonista de nuestra historia toma una decisión sorprendente: decide dejar de llamarse María para pasar a llamarse Max. Lo que ella no puede ni siquiera imaginarse es que al final cederá este nombre, feliz y gustosa, a su nuevo hermanito.

Mi hermana Aixa,
de Meri Torras y Mikel Valverde,
ed. La Galera.

El protagonista de esta historia nos cuenta que «Aixa es alguien muy especial. No salió de la barriga de mi mamá, sino que llegó en avión desde África. Aixa no es como las hermanas de mis amigos del colegio, pero es mi nueva hermana».

Este cuento, además de intentar mejorar las relaciones entre hermanos, trata de la adopción y de la lucha contra las minas antipersonas (Aixa debe llevar una pierna ortopédica a causa de una de ellas). Su objetivo no es sólo fortalecer las relaciones familiares, sino empezar a concienciar a los más pequeños de la casa de que deben ayudar a otros niños y procurar que todos, aunque vivan muy lejos, lleven una vida digna y sin peligros y puedan recibir la educación que merecen.

A la caza de Lavinia,
de Roger Collinson,
ed. Alfaguara.

Lavinia es la típica niña modelo, perfecta, bien educada, con iniciativas y fuerza para ponerlas en práctica... Incluso es una buenísima jugadora de fútbol, capaz de realizar jugadas tan magistrales que ni siquiera los chicos futbolistas más expertos saben hacer. A Figgy no le apetece nada tener que recibir a su prima Lavinia en casa: no quiere compartir con ella ni su habitación ni sus juguetes y le sienta como un tiro tener que estar pendiente de ella para controlar lo que dice y hace y evitar así que los amiguitos de su pandilla la rechacen. Ante la llegada de Lavinia, ¿no será mejor marcharse de casa?

Doble función,
de Jacqueline Wilson,
ed. Everest.

El tema de este libro tiene como base las relaciones familiares de las gemelas Rubí y Granate que, al quedarse huérfanas, se complican. La situación empeora cuando papá lleva a Rosa a casa y además, se queda sin trabajo. Rosa hará cambiar de carácter al padre, conseguirá que todos se muden de casa, que las gemelas cambien de colegio... La situación se hace más llevadera para las niñas gracias a que, además de hermanas, son las más íntimas amigas que pueden existir en el mundo, incapaces de realizar nada la una sin la otra. Esta fuerte unión conducirá la narración del libro por momentos muy divertidos y otros un poco más difíciles y dolorosos.

Los mejores amigos,
de Rachel Anderson,
ed. Alfaguara.

Bea se siente tremendamente sola cuando su hermana Ana se va a jugar con su mejor amiga, Isa, y también cuando ésta viene a su casa, pues las niñas no la dejan jugar con ellas. Y es que Bea es muy pequeña y, además, tiene el síndrome de Down. Inesperadamente, Bea se hace amiga de un vecinito que acaba de mudarse al barrio y anda un poco despistado... Y también decide invitarle a casa. Sin darse cuenta, al final todos acaban haciéndose amigos.

Joaquín tiene problemas,
de René Goscinny,
ed. Alfaguara.

Joaquín, uno de los mejores amigos del pequeño Nicolás, tiene problemas en casa. No le apetece nada tener que compartir todas sus cosas con su hermanito recién nacido, que además de no saber jugar a nada, puede gritar cuanto se le antoje sin que sus padres le regañen ni se enfaden con él. Pero claro, no es lo mismo que Joaquín se queje del pequeño y se meta con él a que lo hagan los demás. De ahí su inesperada reacción cuando Clotario empieza a reírse del bebé...

Primos,
de Virginia Hamilton,
ed. Alfaguara.

Camy vive con su madre y su hermano, pero pasa mucho tiempo sola y echa de menos a su abuela, que está en una residencia de ancianos. Menos mal que tiene mucho trato con sus tres primos. Elodie, además de prima, es su amiga, pero Richie es una auténtica fuente de problemas y a Patty Ann no la puede soportar. Es una niña perfecta, guapa, lista... ¡Y está tan mimada! A veces le encantaría que desapareciese. Pero si esto ocurriera, ¿qué pasaría?

Este cuento, además de tratar sobre las relaciones entre primos, también se ocupa del tema de la muerte.